Walter Dietrich
Israel und Kanaan

Stuttgarter Bibelstudien 94

herausgegeben von Herbert Haag, Rudolf Kilian und Wilhelm Pesch

Walter Dietrich

Israel und Kanaan

Vom Ringen zweier Gesellschaftssysteme

Verlag Katholisches Bibelwerk
Stuttgart

Der Gegenstand der vorliegenden Untersuchung bildete das Thema eines Seminars an der Theologischen Fakultät Göttingen im Sommersemester 1977; in Eigenbeiträgen und Diskussionen haben die Teilnehmer manchen wertvollen Gesichtspunkt beigebracht.

Für die Mitarbeit bei der Erstellung des Druckmanuskripts und beim Lesen der Korrekturen habe ich Herrn stud.theol. Axel Buchholz zu danken.

W. D.

ISBN 3-460-03941-8
Alle Rechte vorbehalten
© 1979 Verlag Katholisches Bibelwerk GmbH, Stuttgart
Gesamtherstellung: Buch- und Offsetdruckerei
E. Kaisser GmbH & Co. KG, 7335 Salach

Inhalt

Vorbemerkung

Das Alte Testament birgt eine Vielzahl von Hinweisen auf den Verlauf der Sozialgeschichte Israels, und die alttestamentliche Forschung hat einen Großteil dieses Materials bereits gesichtet und unter verschiedenen Aspekten ausgewertet. Was noch weithin fehlt, sind – von den Gesamtdarstellungen der Geschichte Israels einmal abgesehen – zusammenhängende Schilderungen der Sozialgeschichte, die einen Überblick über die Voraussetzungen, die wirksamen Faktoren und die Entwicklung der altisraelitischen Gesellschaftsordnung geben.

Hier wird ein solcher sozialhistorischer Längsschnitt versucht, und zwar entlang einem Problem, das die Israeliten von ihrer Seßhaftwerdung in Palästina an bis zum Untergang ihrer Staatswesen begleitet hat: dem Problem des Zusammenlebens mit den Kanaanäern. Dieses Thema wird hier bewußt nicht in erster Linie religionsgeschichtlich, sondern eben sozialgeschichtlich angegangen.

Die Ansprüche der Untersuchung sind begrenzt. Weder soll eine vollständige Darstellung der gesellschaftlichen Entwicklung in Israel geboten werden, noch wird wissenschaftliche Originalität um jeden Preis angestrebt. Lediglich darum geht es, die biblischen Nachrichten zum gewählten Thema einmal zusammenzustellen und mit Blick auf die neuere Forschung in ein historisches Bild einzuordnen.

Auf der anderen Seite dürfte unser Thema in manchem exemplarisch sein für einen weiteren Fragehorizont, vielleicht sogar für analoge Vorgänge in ganz anderen geschichtlichen und geographischen Bereichen. Denn es wird sich rasch herausstellen, daß mit den Begriffen „Israel" und „Kanaan" ein höchst brisantes Gegenüber stark divergierender sozialer, ethnischer und kultureller Strukturen bezeichnet ist. Der Antagonismus drängt ständig zur Auflösung, in der einen oder in der anderen Richtung. Zunächst steht jenes Gegensatzpaar gewissermaßen für zwei Klassen einer sich eben bildenden Gesamtgesellschaft, doch

dann nähern sie sich einander so stark an, daß sich schließlich –
quer zu den alten Fronten – neue Klassengrenzen bilden. Man
kann durchaus vermuten, daß sich in modernen Industriegesell-
schaften oder in Ländern der Dritten Welt oder auch (überwiegend freilich unter anderen Vorzeichen) im heutigen Palästina
ähnliche Prozesse abspielen. Nicht die einzelnen Gruppierungen
und die Formen der Auseinandersetzung bleiben sich gleich,
wohl aber das Gegenüber eines Oben und eines Unten, die Unterdrückung des Schwächeren durch den Stärkeren, und daraufhin das Ringen um wirtschaftliche und politische Vorteile und
Machtpositionen. Möglicherweise können die Erfahrungen Altisraels auf diesem Gebiet im positiven wie im negativen lehrreich
sein beim Wahrnehmen und beim Austragen solcher Konflikte.

1. Kapitel

Die Landnahme

„Höre, Israel, du wirst heute den Jordan überschreiten, um hineinzugehen und das Erbe anzutreten von großen und starken Völkern, von großen und steil zum Himmel ragenden Städten... Und du sollst heute wissen, daß dein Gott Jahwe selbst vor dir hinübergeht, ein verzehrendes Feuer; *er* wird vernichten, und *er* wird sie vor dir demütigen, sie vertreiben und vertilgen in Eile, wie Jahwe es dir zugesagt hat. Sprich nicht in deinem Herzen, wenn dein Gott Jahwe sie vor dir verjagt: ‚Um meiner Gerechtigkeit willen bringt mich Jahwe hinein, dieses Land zu erben'. Um der Verderbtheit dieser Völker willen vertreibt Jahwe sie vor dir."[1]

Indem der deuteronomische Prediger diese Worte Mose in den Mund legt, vermittelt er uns ein bestimmtes Bild von der israelitischen Landnahme: Das Volk Israel, geeint und geführt zunächst von Mose, dann von Josua, kam in ein Land, das bereits besiedelt war, und zwar von Völkern, die den Neuankömmlingen an sich überlegen waren. Dennoch gelang es, sie zu bezwingen und zu vertreiben. Israel kann auf diese Weise ein menschenleeres und zugleich kultiviertes Land in Besitz nehmen – große und schöne Städte, die es nicht erbaut, mit Gütern angefüllte Häuser, die es nicht gefüllt, Brunnen, die es nicht ausgehauen, Weinberge und Olivenhaine, die es nicht angepflanzt hat.[2] Über alldem soll Israel aber nicht hochmütig werden; denn nicht, weil es stark ist, kann es das Land erobern, sondern weil Jahwe die Landesbewohner vertreibt; und nicht weil Israel gut ist, tut Jahwe das, sondern weil die Völker im Land böse sind.

---

[1] Dtn 9,1.3f.
[2] So die Aufzählung Dtn 6,*10f.

Diese Sicht der Landnahme, so eindrucksvoll sie in ihrer Geschlossenheit und Tiefgründigkeit ist, beruht doch nur teilweise auf den historischen Tatsachen.[3] Israel hat nicht in rasantem Siegeszug das Land Kanaan okkupiert, und die Kanaanäer wurden nicht mit einem Schlag niedergeworfen und verjagt. Die Wirklichkeit war viel bescheidener als die spätere Theorie, die in ihrer Großartigkeit die Mahnung zur Bescheidenheit notwendig macht.

Gerade die „steil zum Himmel ragenden Städte" waren es, die den Israeliten trotzten: die Kanaanäerstädte, die vor allem in der Küstenebene und von da aus, zwei Keilen gleich, entlang der Jesreel-Ebene bis zum Jordan und von Philistäa aus bis Jerusalem gelegen waren. Israel, oder besser: den Verbänden, die sich im Lauf der Zeit zu Israel zusammenschließen sollten, blieb aus gleich zu erörternden Gründen kaum eine andere Möglichkeit, als sich entweder im Einflußbereich der Städte niederzulassen – und von diesen abhängig zu werden,[4] oder in die zwischen den Städteriegeln freigebliebenen Räume einzudringen – und sich mit vergleichsweise kargem, vielfach erst noch zu rodendem Bergland zufriedenzugeben.[5]

Palästina zergliederte sich auf diese Weise in ein Geflecht von städtischen Zentren und ländlichen Zonen, die zwar wohl nicht gänzlich voneinander isoliert, deren gegenseitiger Annäherung oder gar Assimilierung aber enge Grenzen gezogen waren. Denn es standen sich da nicht beliebige Menschengruppen gegenüber, sondern zwei ganz und gar verschiedene Systeme gesellschaftlichen Zusammenlebens.[6]

---

[3] Dies im einzelnen und in extenso zu belegen, erübrigt sich seit *A. Alt,* Die Landnahme der Israeliten in Palästina, (1925 =) in: *ders.,* Kleine Schriften zur Geschichte des Volkes Israel I, München [3]1963, 89-125.

[4] Vor allem im Norden des israelitischen Siedlungsgebietes scheint dies der Fall gewesen zu sein, vgl. Gen 49,14f; Ri 5,17.

[5] Es handelt sich um das galiläische Hügelland, das ephraimitische Bergland und das judäische Gebirge, außerdem um das nördliche Ostjordanland, das fern von den Kanaanäern, dafür aber stets bedroht von den Aramäern und Ammonitern war.

[6] Zum folgenden s. *W. Dietrich,* Jesaja und die Politik (BEvTh 74), München 1976, 27ff, und die dort (namentlich in Anm. 7) genannte Literatur.

Der erste Unterschied besteht bereits darin, daß die Kanaanäer längst im Lande waren, als die Israeliten sich langsam darin festzusetzen begannen. Kanaan – das war ein Netz von Stadtstaaten, das sich über die fruchtbarsten Teile des Kulturlandes hinzog. Die günstigsten Wohnlagen waren schon seit Jahrtausenden (freilich mit Störungen und Unterbrechungen!) städtisch besiedelt.[7] Was die Israeliten an Städten vorfanden, existierte zum allergrößten Teil schon seit der Mitte des 2. Jahrtausends v. Chr. Es hatte sich dort eine ausgeprägte, hochstehende Kultur entwickelt, genährt und bereichert durch die verschiedenartigsten Einflüsse und Zuwanderer, die in diesen zentral zwischen den damaligen Hochkulturen gelegenen Landstrich eingedrungen waren. Die archäologischen Funde aus der Spätbronzezeit, die bei heutigen Ausgrabungen zutage treten – Reste mächtiger Ringmauern, einer mitunter kunstvollen Gebäudearchitektur, technisch komplizierter Wasserversorgungssysteme, eine reiche Keramik, Waffen, Skulpturen –, all das legt von dem hohen Stand der kanaanäischen Kultur beredtes Zeugnis ab.

Gemessen daran waren die Israeliten, die um 1200 v. Chr. verstärkt in Palästina eindrangen, recht ärmliche Gesellen. Sie hatten keine Städtebauer, Architekten, Künstler in ihren Reihen, sondern waren ein Volk von Hirten und, nach der Seßhaftwerdung, von Kleinbauern. Hinzu mögen Elemente gestoßen sein, die aus den Städten verdrängt wurden oder flüchteten, ‚outlaws‘, sozial entwurzelte Randsiedler einer hochentwickelten Kulturgesellschaft.[8] Der beträchtliche Abstand zwischen Israel und

---

[7] Vgl. *K. M. Kenyon*, Archäologie im Heiligen Land, Neukirchen 1967, 84ff. Regelrechte Stadtstaaten gab es schon in der Frühbronzezeit, also ab 3000 v. Chr. (100ff).

[8] Ich halte *Alts* These von der Landnahme im Zuge des Weidewechsels zwischen Steppen- und Kulturland nicht für unvereinbar mit der von *G. E. Mendenhall* (The Hebrew Conquest of Palestine: BA 25, 1962, 66-87), nach der die Israeliten zusammenzusehen sind mit jenen ʿapiru, die über das gesamte 2. Jahrtausend hinweg an verschiedenen Orten als soziologische Randgruppen begegnen. (Das Material ist zusammengestellt und diskutiert bei *R. de Vaux*, Die hebräischen Patriarchen und die modernen Entdeckungen, Leipzig 1960, 44-54, und bei *M. Weippert*, Die Landnahme der israelitischen Stämme in der neueren

Kanaan wird sinnenfällig in der Ärmlichkeit, durch die sich Siedlungsreste aus der frühen Eisenzeit (ab 1200) von solchen aus der Spätbronzezeit abzuheben pflegen.[9]

Diese Differenz ist indes nur Ausdruck völlig unterschiedlicher wirtschaftlicher Verhältnisse. Die Kanaanäer hatten die fruchtbaren, wasserreichen und anbaufähigen Landstriche inne, während die Israeliten mit dem vorliebnehmen mußten, was übrig blieb: überwiegend trockenem, steinigem, gebirgigem Land, dem jeder Fußbreit Ackerboden mühsam abgerungen werden mußte. Ferner lagen die kanaanäischen Städte an verkehrstechnisch günstigen Stellen; sie hatten Anschluß an und Kontrolle über das damalige Straßennetz, was sowohl strategisch-militärisch als auch ökonomisch von größter Bedeutung war. Einerseits diente das Wegesystem der Infrastruktur der Städte untereinander, ermöglichte kontinuierlichen Warenaustausch und sonstige Kontakte bis hin zu gegenseitiger militärischer Hilfe im Falle äußerer Bedrohung. Andererseits waren die Straßen auf der syrisch-palästinischen Landbrücke, die der Geländeformation wegen ohnehin in nord-südlicher Richtung verliefen, die Schlagadern des zwischen Ägypten und Arabien im Süden und Mesopotamien und Kleinasien im Norden pulsierenden Personen- und Warenverkehrs.

---

wissenschaftlichen Diskussion, [FRLANT 92] Göttingen 1967, 66-102.) Freilich wird die Prävalenz immer bei den Neueinwanderern gelegen haben. Anderenfalls bliebe das im gesamten AT sich spiegelnde Bewußtsein Israels, nicht aus dem Land, sondern von außen in das Land gekommen zu sein, unverständlich. Aus der Sicht der Städte aber mögen beide Bewegungen als kaum unterscheidbar und gerade zusammen als höchst bedrohlich empfunden worden sein. Dieser Aspekt kommt sehr deutlich zum Ausdruck bei *N. K. Gottwald,* Domain Assumptions and Societal Models in the Study of Pre-Monarchic Israel, in: VTS 28, Leiden 1975, 89-100.

[9] Ein schlagendes Beispiel dafür ist Hazor. Nach der um 1200 erfolgten Zerstörung dieser wohl bedeutendsten palästinischen Stadt der Amarna-Zeit (laut *M. Noth,* ABLAK I, 25ff.43f, einer der wenigen archäologisch gesicherten Fälle einer Stadteroberung durch die einwandernden Israeliten; dagegen neuerdings *V. Fritz,* UF 5, 1973, 123ff) wurde das bisherige Siedlungsareal nur an der Südwestecke und lediglich in sehr bescheidener Weise wieder bebaut. Es wird da ein regelrechter Kulturbruch sichtbar.

Während die Israeliten in ländlicher Abgeschiedenheit und Rückständigkeit ihr Dasein fristeten, ergoß sich in die Kanaanäerstädte der Reichtum und die Vielfalt des kulturellen und wirtschaftlichen Lebens der altorientalischen Welt. Das mußte von unmittelbarer Wirkung auf die soziale Struktur der kanaanäischen Bevölkerung sein. Die vielschichtigen, komplizierten Produktionsverhältnisse erforderten eine weitreichende Arbeitsteiligkeit und eine differenzierte Aufgliederung in gesellschaftliche Gruppierungen und Schichten. Ein Schlaglicht auf die sozio-ökonomischen Verhältnisse der damaligen Städte werfen spätbronzezeitliche Texte, vor allem Listen, aus Ugarit und Alalach.[10] Da gibt es neben Hirten, Winzern, Dienern – also relativ breiten Berufsgruppen[11] – hochspezialisierte Kräfte vor allem im handwerklichen Bereich: Turbanmacher, Gürtelschneider, Pfeilhersteller, Steinschneider. Zusammenhängend mit ihrer Tätigkeit waren die Menschen in eine Art Kastensystem eingeteilt, das vom Königshaus über die Angehörigen des Adels[12] und zwei Schichtungen, denen mehr oder minder angesehene ‚bürgerliche‘ Berufe zugeordnet waren, bis hin zu den Unfreien und den Sklaven reichte.[13] Diesem differenzierten Sozialgefüge entsprach eine höchst ungleiche Verteilung des Besitzes;[14] die

---

[10] Vgl. zum folgenden M. Dietrich – O. Loretz, Die soziale Struktur von Alalaḫ und Ugarit. I: Die Berufsbezeichnungen mit der hurritischen Endung -ḫuli: WO 3 (1966) 188-205; II: Die sozialen Gruppen ḫupše-namê, hanniaḫḫeekû, eḫele-šuzubu und marjanne nach Texten aus Alalaḫ IV: WO 5 (1969) 57-93.

[11] Zu erschließen sind hier außerdem Kaufleute, die die lokalen und internationalen Warenströme lenkten.

[12] Die marjanne, bekannt vor allem als Streitwagenkämpfer.

[13] Dies ist, wohlgemerkt, die Einteilung, die das System sich selbst gegeben hat. Ob nicht statt von diesen relativ vielen nur von zwei Hauptklassen auszugehen ist – nämlich einer, die den gesellschaftlichen Reichtum in erster Linie erarbeitete, und einer, die ihn vornehmlich genoß –, ist eine andere Frage; wir werden ihr noch nachzugehen haben. Wie auch immer: Die damalige soziale Stratigraphie wird nicht ohne Anhalt an realen Gegebenheiten gewesen sein; gewiß gab es verschiedene Stufen von Machtteilhabe und Freiheit.

[14] Für Alalaḫ vgl. M. Dietrich – O. Loretz, Die soziale Struktur von Alalaḫ und Ugarit. V: Die Weingärten des Gebietes von Alalaḫ im 15. Jahrhundert: UF 1

wirtschaftlich wohlsituierten Kreise besaßen genügend gesellschaftlichen Einfluß, um ihr Eigentum immer weiter akkumulie-
ren zu können.

Ganz anders die Israeliten. Bei ihnen herrschten kaum differenzierte Wirtschaftsverhältnisse; im Prinzip konnte jeder die Arbeit des anderen tun. Das war, als und solange sie nomadisieren-
de, mit dem Regen und von Wasserstelle zu Wasserstelle wan-
dernde Kleinviehhirten waren, geradezu unabdingbar. Nicht-
seßhafte Gruppen kommen nicht dazu, eine ausgefeilte Arbeitsteilung zu entwickeln. Es gibt kaum unterschiedliche Produktionsmittel; alles hängt von der richtigen Pflege und Nutzung der
Herdentiere ab, die daraus erwachsenden Aufgaben müssen ge-
meinschaftlich bewältigt werden. Grundsätzlich waren die einzelnen Gruppen mit ihren Herden autark, die grundlegenden
Lebensbedürfnisse konnten mit Hilfe der Tiere gedeckt werden;
allenfalls für den gehobenen Bedarf war man auf Warentausch
etwa mit Städtern angewiesen. An dieser Wirtschaftsform
brauchte sich mit der Seßhaftwerdung zunächst nicht viel zu ändern. An die Stelle der Herde oder neben sie trat das Ackerland;
jeder Bauer mit seiner Familie, zumindest jedes Dorf, war prinzipiell autark. Eine gewisse Spezialisierung mochte zwischen
Viehzüchtern und Bauern, vielleicht auch zwischen Wein- und
Ackerbauern auftreten; doch im Grunde waren diese Tätigkeiten
noch von jedem auszuführen.[15] Handel mit den Städten brachte
möglicherweise Annehmlichkeiten und mit der Zeit eine Anhe-
bung des Lebensstandards, war aber nicht lebensnotwendig.

(1969) 37-64; die Größe der einem Winzer gehörenden Anbaufläche
schwankt zwischen 240 und 11 400 qm! (Dabei ist allerdings zu bedenken, daß
der Weinbau mitunter nur nebenberuflich betrieben worden zu sein scheint.)
Genauso aufschlußreich ist die im Vergleich mit spätbronzezeitlichen wenig
aufwendige und ziemlich gleichmäßigen Besitz verratende Bauweise frühei-
senzeitlicher Siedlungen, vgl. *R. de Vaux*, Das Alte Testament und seine Lebensordnungen, I, Freiburg-Basel-Wien 1960, 122; *Kenyon*, Archäologie,
z. B. 228f.

[15] Das gilt auch von den meisten handwerklichen Aufgaben, wenngleich sich auf
diesem Feld, besonders unter dem Einfluß kanaanäischer Kultur, noch am
ehesten spezifische Berufe entwickelt haben werden.

Dieses geschlossene ökonomische System bedingte eine homogene Gesellschaftsordnung. Es war dies die Sippenordnung, die typische Lebensform der Nomaden und Halbnomaden. Ihr hervorstechendes Merkmal ist die Gleichrangigkeit jedes Sippenmitglieds mit dem anderen. Zwar gibt es ein Sippenoberhaupt und wohl auch einen aus den Familienhäuptern bestehenden Ältestenrat, gibt es also patriarchalische Strukturen – aber es gibt keine Herrschaftsverhältnisse im eigentlichen Sinn. Das hat seinen Grund letztlich darin, daß die Produktionsmittel einer Sippe, nämlich das Herdenvieh und später auch das Acker- und Weideland einer Gemarkung, in Gemeinbesitz sind.[16] Alle sind gleichermaßen dafür verantwortlich, alle sind auf die Mitarbeit der anderen angewiesen, keiner hat von sich aus Macht, den anderen von sich abhängig zu machen. In Streitfällen entscheidet die Rechtsversammlung aller wehrfähigen Männer, Ziel ist nach Möglichkeit nicht die Bestrafung des Täters, sondern die Wiedergutmachung der Tat und damit die Schlichtung des Streits; denn der Ausfall von Arbeitskraft würde die Gesamtheit tangieren. Soziale Härtefälle werden von der Gemeinschaft gemildert und getragen; an dieser Sicherungsfunktion von Familie und Sippe muß jeder interessiert sein, weil die Unbilden des Lebens (Mißernten, Todesfälle usw.) als nächsten ja ihn und die Seinen treffen könnten.

Demgegenüber steht in den Kanaanäerstädten eine streng hierarchische Ordnung. Breite Unter- und Mittelschichten werden gesteuert von einer Adelskaste, die wiederum einen König an ihrer Spitze hat. Diese Oberschicht ist nicht eigentlich mit der Produktion von Nahrungsmitteln und Waren befaßt, sondern mit der Ordnung, Verwaltung und Verteidigung des Gemeinwesens. Dadurch werden Kräfte freigesetzt, die über den unmittelbaren Lebensunterhalt und den täglichen Bedarf hinaus planen; hier liegt eine der Wurzeln der hohen kanaanäischen Kultur. Aber diese Kräfte müssen erhalten, müssen miternährt werden

---

[16] Zu der partiellen, aber nicht grundlegenden Unterschiedenheit der seminomadischen Lebensbedingungen von denen der Seßhaftigkeit vgl. W. *Dietrich,* Jesaja und die Politik, 28f.

von den aktiv Produzierenden. Daß dies gewährleistet ist, dafür sorgen die Besitz- und Machtverhältnisse; die Angehörigen der Herrenschicht sitzen an den Schaltstellen des wirtschaftlichen und staatlichen Lebens.[17]

Das nun ist entscheidend: *daß* die Kanaanäer und *wie* sie staatlich organisiert waren. Jede größere Stadt bildete ein eigenes Staatswesen; dazu gehörte jeweils ein meist recht begrenztes Territorium mit einigen kleineren Städten und Dörfern.[18] Jeder dieser Stadtstaaten war souverän oder zumindest, falls von einer Großmacht abhängig,[19] mit den Nachbarstädten grundsätzlich gleichgestellt. Jede von ihnen hatte einen königlichen Hof[20] mit königlicher Beamtenschaft, Staatskult und staatlicher Gerichtsbarkeit. Der Unterhalt von Hof und Verwaltung wurde vornehmlich durch Steuereinnahmen, in der Hauptsache in Gestalt von Naturalien, bestritten. Hinzu kamen erzwungene Dienstleistungen der unfreien, mitunter sicher auch der freien Bevölkerungsschichten: Fronarbeit bei staatlichen Baumaßnahmen, Hilfstätigkeiten in privaten oder staatlichen Diensten, Bewirtschaftung von Großgrundbesitz und anderes mehr. Gewisse Mittel werden auch aus der Kontrolle des internationalen Handels geflossen sein.

Grundlegend für die Stadtstaaten war das territoriale Prinzip. Das heißt, man ist Angehöriger des Staates, in dessen Gebiet man ansässig ist; ethnische, soziale, religiöse Kriterien sind demge-

---

[17] Hierzu gehören auch die Führungspositionen in der Justiz und im Kultus. Zumindest nominell pflegte der König oberster Richter und oberster Priester zu sein, und er delegierte die laufenden Geschäfte gewissermaßen an von ihm ausgewählte und eingesetzte Beamte.

[18] In Ri 1,27 werden solche Ortschaften auf dem Areal von Stadtstaaten *bᵉnôt*, „Töchter", genannt. In Jes 17,2 heißen sie, wenn die in BHK vorgeschlagene Konjektur richtig ist, *ʿārîm*, also „Städte" von Damaskus.

[19] Damals: Ägypten, vgl. die Amarnabriefe. Gerade diese Texte aber zeigen, wie relativ frei doch die Stadtkönige schalten und walten konnten. Es bietet sich der Vergleich mit den unzähligen kleinen und größeren Territorialherrschaften im spätmittelalterlichen Deutschland und ihrem Verhältnis zum Kaisertum an.

[20] Mitunter vorkommende Aristokratien bzw. Oligarchien können hier vernachlässigt werden.

genüber zweitrangig. Hier liegt wieder ein ganz wesentlicher Unterschied zu den Israeliten. Bei ihnen gründet sich Zusammengehörigkeit nicht auf den gemeinsamen, mehr oder minder zufälligen Aufenthaltsort, sondern auf Verwandtschaftsbezüge, jedenfalls auf ein Verwandtschaftsgefühl.[21] Auch hier wieder ist der Hintergrund des Nomadenlebens deutlich sichtbar: Nicht, wer sich irgendwo trifft, bildet eine Gemeinschaft, sondern wer zusammenbleibt und miteinanderzieht. Die Familie ist die natürliche Keimzelle solchen Zusammenhalts; die Sippe, der Stamm sind ihre geschichtlich bedingten Weiterungen, und der Volksgedanke wird von Israel gedacht in der Form der weitverzweigten Nachkommenschaft eines Stammvaters.

Diese Differenz zwischen Israel und Kanaan sollte für die weitere Geschichte größte Bedeutung erlangen. Auf der einen Seite ist Kanaan tendenziell für alles offen, was hereinströmt; es ist fast unbegrenzt assimilierungsfähig, weil es nicht ein ethnisches, nicht einmal in erster Linie ein sozio-ökonomisches Grundmuster einzuhalten gilt, sondern nur ein territoriales. Allerdings bedingen diese geschichtlich so und nicht anders gewordenen Territorien in der Regel die Einpassung in die altbewährte Sozialordnung; aber da herrscht grundsätzlich Flexibilität. Die Stadtherrschaften mögen wechseln, sich ablösen – der Stadtstaat und seine Struktur bleiben erhalten. Darin liegt aber auch die Beschränkung des Systems: Es ist unfähig, über die Grenzen der einzelnen Stadtstaaten hinweg etwas wie eine nationalstaatliche Neuordnung anzustreben. Wohl können sich ad hoc Städte gegen andere Städte oder gegen äußere Feinde verbünden, doch der Zustand der Zersplitterung wird dadurch nicht bleibend aufgehoben.

Israel, auf der anderen Seite, ist von vornherein auf das nationale Prinzip angelegt. Freilich operieren zunächst nur kleinere Verbände je für sich, Sippen, Stämme. Aber schon sie nehmen zum Teil erheblich weiträumigere Territorien in Anspruch als die ein-

---

[21] Diese Verwandtschaftsvorstellung spiegelt übrigens zutreffend die ethnische und sozialgeschichtliche Verwandtschaft der sich nach und nach zu „Israel" zusammenschließenden Gruppen wider; ansonsten ist sie durchaus unhistorisch.

zelnen Stadtstaaten. Wird einer einmal aus einem bestimmten Gebiet verdrängt, braucht das seine Konsistenz und Aktionsfähigkeit nicht zu beeinträchtigen.[22] Der Stamm lebt von seinen Mitgliedern, nicht zuerst von einem Stück Erde; er ist beweglich – und vor allem: er ist in Wachstum und Ausdehnung nicht territorial begrenzt. Kommt es gar zum Zusammenschluß solcher Stämme, dann muß ein benachbartes Stadtstaatensystem in Gefahr geraten. Dies umso mehr, als ethnisch homogen zusammengesetzte Verbände von Natur aus intransigent sind gegen fremde ethnische, soziale, religiöse Einflüsse; Assimilation im Sinne völligen Aufgehens in einer fremden Umwelt war für Israel von Anfang an unmöglich. Das aber heißt: Es mußte früher oder später zwischen Israel und Kanaan zur Auseinandersetzung um die Macht kommen. Würde Kanaan Israel, wie so manche andere Einwanderungswelle zuvor, schließlich doch neutralisieren – oder würde Israel gegen Kanaan immun bleiben, es gar verdrängen und sich selbst als Vormacht etablieren?

In dem eingangs zitierten Deuteronomium-Text ist diese Frage entschieden: „Du sollst heute wissen, daß dein Gott Jahwe selbst vor dir hinübergeht, ein verzehrendes Feuer; er wird sie vernichten...". In diesem Passus kommt zweierlei zum Ausdruck: die Anpassungsunfähigkeit Israels, die als so bestimmend empfunden wird, daß man sich am liebsten die gänzliche Beseitigung der Kanaanäer aus dem Lande vorstellt, weil man ja sonst mit ihnen hätte zusammenleben und sich arrangieren müssen – und dies in Wahrheit ja auch mußte.[23] Das Zweite, fast noch Wichtigere, ist die hervorgehobene Rolle, die der Gott Jahwe hier spielt. Er ist es, der im letzten eine Angleichung an die Landesbewohner verbietet und tatkräftig verhindert. Er ist der eigentliche Motor der Abgrenzung gegen Kanaan. Historisch wird

---

[22] Vgl. die Nachrichten über den Stamm Dan in Ri 13ff, vor allem Ri 18. Ein Gegenbeispiel ist der Stamm Ruben.

[23] Zu den verschiedenen Antworten innerhalb der deuteronomistischen Schule auf dieses schwere Problem vgl. *R. Smend,* Das Gesetz und die Völker. Ein Beitrag zur deuteronomistischen Redaktionsgeschichte, in: Probleme biblischer Theologie, Festschr. G. v. Rad, München 1971, 494-509.

man diese Sicht nur wenig zu relativieren haben. Jahwe ist nicht von allem Anfang an der Gott aller Gruppen und Stämme gewesen, die nachmals Israel hießen. Da waren vielmehr zuerst die Vätergötter, welche die einzelnen Sippenverbände auf ihren Wanderungen begleiteten[24] und sich dann auch mit ihnen im Kulturland niederließen, wobei sie die alten Lokalheiligtümer besetzten und ihre Numina in sich aufnahmen. Trotzdem blieben sie primär an den (durch verwandtschaftliche Beziehungen zusammengeschlossenen) Kreis ihrer Verehrer gebunden, nicht primär an Orte oder Territorien.[25] Und vor allem: Sie waren für ihre Verehrer grundsätzlich *einzig*, insofern auch nicht einzupassen in die Hierarchie des kanaanäischen Götterpantheons, sondern wie selbstverständlich dessen Spitze, verkörpert durch den Götterfürsten *'El*, für sich beanspruchend[26] und die unteren Chargen ignorierend.[27] Noch viel stärker trifft all das auf Jahwe zu.[28] Mit dem Anspruch absoluter Exklusivität, der mit der

---

[24] Grundlegend *A. Alt*, Der Gott der Väter, Kl.Schr. I, ³1963, 1-78. Alts geniale These ist m. E. bis heute nicht widerlegt, auch nicht durch die viel zu unspezifischen Belegauflistungen von *H. Vorländer*, Mein Gott. Die Vorstellungen vom persönlichen Gott im Alten Orient und im Alten Testament (AOAT 23), Neukirchen 1975.

[25] Demgegenüber konnte etwa der kanaanäische Gott Baal in verschiedenen Hypostasen zur lokal gebundenen Schutzgottheit einzelner Städte werden, z. B. 1 Kön 16,31f; 2 Kön 1. Das Territorialprinzip forderte seinen Tribut auch von den Göttern, und Baal war bereit, ihn zu zahlen.

[26] Hier kommt es zur Verschmelzung z. B. des „Schrecks Isaaks" (Gen 31,42) und des „Starken Jakobs" (Gen 49,24; vgl. auch Jes 49,26 u. ö.) zum „Gott" (*'ēl*) der Väter Israels. Auf dieser Stufe dürfte denn auch der Name Isra*el* aufgekommen sein, wie ihn schon Pharao Merenptah um 1200 v. Chr. kennt (*K. Galling*, Textbuch zur Geschichte Israels, Tübingen ²1968, 39f).

[27] Ein Name wie Eschbaal (2 Sam 2-4) scheint allerdings darauf zu deuten, daß vereinzelt auch Baal von Israel vereinnahmt wurde; vermutlich handelt es sich hier aber um ein Epitheton für Jahwe, vgl. BHH I (1962) 173 und die unten anzustellenden Erwägungen über Sauls Haltung zu den Kanaanäern.

[28] Er ist offenbar erst relativ spät in Israel dominant geworden. Zwar scheinen ihn vor allem die im Südland operierenden Gruppen (neben den Judäern auch die Kalibbiter, Kenisiter, Keniter) schon früher auf dem wohl im Gebiet Edoms zu suchenden ‚Gottesberg' kennengelernt zu haben (vgl. *S. Herrmann*, Geschichte Israels, München 1973, 97ff), aber sein Einbruch in Mittel- und von da aus in Nordpalästina dürfte erst im Zusammenhang mit der Ein-

weitgehenden ethnischen und soziologischen Homogenität seiner Verehrer korrespondiert, wehrt er allfällige Neigungen der Israeliten zum Synkretismus mit Kanaan und der kanaanäischen Religion kategorisch und hartnäckig ab.[29]

So sieht es jedenfalls der Prediger von Dtn 9,1ff – mit einigem Anhalt an der israelitischen Tradition, aber doch im nachhinein, wie man sagen muß. Ob Jahwe wirklich so unversöhnlich allem Kanaanäischen gegenüberstand, ob Israel und Kanaan, bei aller Gegensätzlichkeit ihrer Gesellschaftssysteme, nicht doch Wege zu gegenseitiger Duldung, Kooperation, suchen sollten und finden konnten: das war ja nicht von Anfang an schon entschieden; das mußte in einer langen, wechselvollen Geschichte erst ausfindig gemacht werden. Dieser Geschichte wollen wir im folgenden nachgehen.

---

wanderungswelle der sog. Rahelstämme erfolgt sein, vgl. *M. Noth*, Das System der zwölf Stämme Israels (Nachdr. Darmstadt 1966) 88f.

[29] Es scheint, als wäre diese Sprödigkeit gegen Fremdeinflüsse in der Jahwereligion zunächst eher nur implizit mitgesetzt gewesen und hätte erst im Laufe der Zeit, nämlich mit steigender Gefahr der Assimilierung, zur expliziten Ablehnung jeglichen Fremdkultes geführt. Doch dazu s. u. Kap. 6 und 7.

2. Kapitel

Die Richter- und beginnende Königszeit

KONFRONTATION

Die Kanaanäer waren den in Palästina seßhaft werdenden Israeliten wirtschaftlich und militärisch hoch überlegen. Sie hatten gelernt, mit den Ressourcen des Landes umzugehen, sie verfügten über große, befestigte Städte und über wohlausgerüstete Truppen; ihre stärkste Waffe waren gepanzerte, bespannte Streitwagen, gewissermaßen die Tanks der Antike. Dagegen waren die schlecht bewaffneten israelitischen Bauernhaufen so gut wie machtlos. Juda konnte „die Bewohner der Ebene nicht vertreiben, denn sie hatten eiserne Wagen".[1] Dieser Nachteil ließ sich nicht so leicht wettmachen, weil die Streitwagentruppe im Grunde kanaanäische Verhältnisse voraussetzte: einen beträchtlichen gesellschaftlichen Reichtum, dazu einen internationalen Handel, der Pferde und Rohstoffe beschaffte, handwerklich-technisch hochqualifizierte Waffenproduzenten, und nicht zuletzt eine vermögende Schicht von Aristokraten, die sich solch teure Rüstungsgüter zulegen, sie unterhalten und sich in ihrem Gebrauch üben konnten. Außerdem konnten die Kampfwagen ihre volle Wirksamkeit nur in ebenem Gelände entfalten; was hätten denn Bergbauern damit anfangen sollen?[2]

Hinzu kam, daß die kanaanäischen Stadtstaaten wohltrainierte Berufssoldaten, oft Söldner, in ihren Diensten hatten. Auch dies wieder – der Beruf Soldat – war mit der Lebensweise der Einwanderer unvereinbar: Die Männer arbeiteten als Bauern und

---

[1] Ri 1,19. Der Satz könnte sich im Kontext allein auf die Philister beziehen, die als erste den Streitwagen in Palästina einführten; doch die Kanaanäer haben ihn offensichtlich bald von ihnen übernommen.

[2] Noch rund 400 Jahre später erklären sich die Aramäer eine Niederlage gegen Israel damit, daß der Kampf in den Bergen stattgefunden hat. Die nächste Schlacht wollen sie mit vielen Streitwagen in der Ebene führen, da fühlen sie sich überlegen (1 Kön 20,23-25).

Hirten; niemand hatte Zeit, sich ein Leben lang mit dem Kriegs-
handwerk zu befassen, und niemand hätte ihn dafür entlohnen
können. Soweit gewaltsame Auseinandersetzungen mit äußeren
Feinden unumgänglich waren, wurden sie vom Aufgebot aller
wehrfähigen Männer bestritten – was für die Kampfmoral gut
sein mochte, militärtechnisch aber rückständig war.

Israels militärische Erfolge über kanaanäische Städte hielten sich
denn auch in bescheidenen Grenzen. List und Tücke, Betrug
und Verrat waren die einzigen Mittel, diesem überlegenen Gegner beizukommen.[3] Aber in den meisten Fällen wirkten auch sie
nicht, oder die Israeliten wandten sie gar nicht erst an. Jedenfalls
blieben fast alle wichtigeren Städte zunächst unerobert. Auf-
schluß darüber gibt das sogenannte negative Besitzverzeichnis Ri
1,18-21.27-35.[4] Da werden die israelitischen Stämme der Reihe
nach aufgezählt, und bei jedem gesagt, welche Gebiete er *nicht*
besetzen konnte. Insgesamt ergibt sich das Bild, daß den Israeliten der gesamte Küstenstreifen, die Ebene Jesreel und ein Land-
gürtel von Jerusalem westwärts zum Mittelmeer verwehrt blieben. Im Norden gerieten einige Stämme sogar in regelrechte Abhängigkeit von den Städten.[5]

Die Lage scheint sich für die Israeliten zunehmend verschlech-
tert zu haben. In Ri 4f, den Nachrichten über die Debora-
Schlacht (wohl Ende des 12. Jahrhunderts)[6] finden sich einige
Andeutungen darüber: Das Aufgebot der Stämme verfügte nicht
über Schild noch Speer (5,8b), das heißt, den Kanaanäern muß es
durch ständige, penible Beaufsichtigung gelungen sein, jegliche
nennenswerte Rüstungsproduktion bei den israelitischen Stämmen zu unterbinden,[7] auf der anderen Seite sich selbst personell

---

[3] Die Erzählungen Gen 34; Jos 2; 8; Ri 1,22-25; 2 Sam 5,6ff geben davon einen
Eindruck. Dazu muß man sich noch vor Augen halten, daß die Städte der Spät-
bronze-II-Periode anscheinend schon von einem gewissen Kultur- und
Machtverfall gezeichnet waren.

[4] Vgl. auch Jos 13,1ff.

[5] Die Formulierung in Ri 1,32f *(wajjēšæb bᵉqæræb hakkᵉnaʿănî)* deutet darauf
hin; s. auch oben Kap. 1 Anm. 4.

[6] So *S. Herrmann*, Geschichte Israels, 156.

[7] M. E. ging es kaum nur darum, daß „keiner wagte, sich in Schild und Lanze zu
zeigen" (so *H. Greßmann*, SAT I/2, ²1922, 188).

und materiell ein Monopol in der Waffenherstellung zu sichern.[8] Die Stadtstaatenkoalition, mit der es schließlich zum Treffen kommt, leidet in dieser Hinsicht jedenfalls keinen Mangel: 900 Streitwagen vermag ihr Oberbefehlshaber, Sisera, aufzubieten (4,3)! Auch sonst scheinen die Kanaanäer damals die Israeliten in jeder Hinsicht fest in der Hand gehabt zu haben. Da wird angedeutet, daß die Lebensmittel knapp geworden sind (5,8a)[9] – vermutlich doch, weil hohe Abgaben an die Städte zu entrichten waren, oder gar wegen Verwüstung der Felder.[10] Da heißt es, das offene Land[11] – Land also, das im Unterschied zu den befestigten Städten ungeschützt dem Zugriff von Feinden ausgesetzt ist – habe „geruht"; es war Stille eingekehrt in Israel, Friedhofsruhe. Weiter wird vermerkt, die „Pfade"[12] hätten „gefeiert", man habe auf „Schleichwegen" gehen müssen; was bedeutet das anderes, als daß die Kanaanäer in ihrem Einflußbereich die Straßen und Wege unter Kontrolle hielten und jederlei Warenaustausch, erst recht militärische Bewegungen, wenn nicht überhaupt allen Verkehr zwischen den einzelnen Siedlungen, jedenfalls zwischen den verschiedenen Stämmen, unterbanden? Die Folge ist denn auch, daß zu der Debora-Schlacht, zu der offenbar alles, was sich

---

[8] Aufschlußreich ist in diesem Zusammenhang die Mitteilung 2 Kön 24,14.16, daß die Babylonier gerade auch die Schmiede und Schlosser Judas in die Verbannung führten.

[9] Der Text ist, wie im Deboralied an vielen Stellen, auch hier einigermaßen unsicher; doch wird man schwerlich aus MT den auch in Ri 7,13 belegten Ausdruck *læḥæm* *śeʿōrîm* (so zu punktieren) wegkonjizieren dürfen, zumal LXX[A] ἄρτον κρίθινον hat und auch in anderen LXX-Versionen wenigstens das Wort ἄρτον, „Brot", vorkommt.

[10] Der Kontext läßt nicht erwarten, daß hier an naturbedingte Engpässe gedacht wäre.

[11] Diese Bedeutung von *peräzôn* scheint mir von dem sicher wurzelverwandten *peräzôt* her (Ez 38,11; Sach 2,8) gesichert. Haben die Kanaanäer auch den Bau von Befestigungsanlagen gezielt verhindert?

[12] Die Umpunktierung in „Karawanen" scheint mir weder nötig noch sinnvoll; mit internationalem Handel dürften die Israeliten damals noch wenig im Sinn gehabt haben.

irgendwie zu „Israel" gehörig fühlte,[13] aufgerufen war, nur ein Teil der Stämme ausrückte; die anderen (Ruben, Dan, Asser, ferner die Bewohner Gileads) werden ob ihres Zauderns und ihrer Bequemlichkeit getadelt (5,15b-17); man wird indes unterstellen dürfen, daß sie aus wohlerwogenen Gründen fernblieben: Ihre Existenz wird auf dem Spiel gestanden haben.

Freilich gilt dies, vielleicht in eingeschränkter Weise, auch von den in den Kampf ziehenden Stämmen. Es scheint, als wäre der mit den Namen Debora und Barak verknüpfte Aufstand ein letztes, verzweifeltes Aufbäumen gegen die kanaanäische Übermacht gewesen, und als fiele gerade, weil das Unternehmen im Grunde so aussichtslos war, der Jubel über den unverhofft errungenen Sieg so überschäumend, fast maßlos aus. Andererseits aber: so wenig mit diesem Sieg zu rechnen war, so wenig kam er von ungefähr. Soweit die Überlieferung es erkennen läßt, ist dies das erste Mal, daß eine doch beträchtliche Anzahl von Israelstämmen unter gemeinsamer Führung in den Kampf gezogen ist. Der immer härter werdende kanaanäische Druck führte ungewollt dazu, daß die Fesseln des Isolationismus und der Eigensucht zersprangen. Was die scharfen Kontrollen gerade verhindern sollten, das bewirkten sie am Ende: daß sich – heimlich – verschiedene Stämme, noch dazu solche, die durch die fest in kanaanäischer Hand befindliche Jesreelebene voneinander getrennt waren,[14] zusammentaten und mit dem Mut der Verzweiflung losschlugen. Jahwe und das Kriegsglück waren ihnen wohlgesonnen, und so besiegten die ungeübten Bauernhaufen ein Heer von Kampfwagen und Berufssoldaten.

---

[13] Die Südstämme scheinen dabei nicht einmal im Blick gewesen zu sein; sie werden gar nicht erwähnt. Ob man das einfach mit dem Vorhandensein des Städtegürtels bei Jerusalem erklären kann? (So *R. Smend,* Gehörte Juda zum vorstaatlichen Israel?, in: Fourth World Congress of Jewish Studies, Papers I, 1967, 57-62, hier 58.)

[14] Nicht zufällig ist Debora Ephraimitin (Ri 4,5; vgl. auch Gen 35,8) und Barak ein Glied des Stammes Naftali (Ri 4,6; 5,15). Die Krieger vom mittelpalästinischen Bergland müssen, um am Bach Kischon nördlich des Karmel kämpfen zu können, den Städtegürtel bei Megiddo und Taanach (5,19) irgendwie überwunden haben.

Das war offensichtlich der Durchbruch. Der Kern des werdenden Israel hatte in Kampf und Sieg seine Identität gefunden. Der
Erfolg – der sicher nicht auf die eine Schlacht beschränkt blieb
–[15] wird die bisher noch zögernden Stämme angezogen, die
Schlagkraft Israels sich weiter erhöht haben. Die Kanaanäer waren angeschlagen, das Blatt begann sich zu wenden. Mehr und
mehr machte sich die Überlegenheit des nationalen über das ter-
ritorial-stadtstaatliche Prinzip bemerkbar. Israel konnte weit-
räumig operieren, während Kanaan durch eine Vielzahl von
Staatsgrenzen zerstückelt war.

Der Umschwung ließ die Bescheidenheit schwinden. Die
Stämme begannen, begehrlich und planmäßig ihre Einflußzonen
abzustecken – zwar auch gegeneinander, vor allem aber auf Kosten Kanaans. Es wurde nun als schmerzlich empfunden, daß
man die Städte nicht *besaß*. Das schon erwähnte negative Besitzverzeichnis in Ri 1 ist ja auch eine Summierung von Gebietsan-
sprüchen. Zwar konnten sie nicht alle schon in der Richterzeit
eingelöst werden, aber oft genug ist doch nach der Feststellung,
daß man diese oder jene Stadt nicht habe einnehmen können,
vermerkt, daß sie später, als die Stämme[16] die Oberhand gewannen, fronpflichtig geworden sei.[17] Die Kanaanäer werden also
auch jetzt nicht einfach niedergemacht oder verjagt, auch werden
ihre Staaten nicht aufgelöst und ihr Gebiet nicht in das Stammesgebiet integriert, sondern sie werden in relativer Selbständigkeit
belassen und wirtschaftlich ausgenutzt. Die Gründe dafür lassen
sich denken: Eine gewaltsame Lösung der Kanaanäerfrage wäre,

---

[15] Vielleicht hat man den historischen Kern von Jos 10f hier anzusiedeln. Die
Zerstörung Ḥazors (Jos 11,10f) – wenn sie denn von den Israeliten bewerkstelligt wurde – kann natürlich nicht vor den in Ri 4f berichteten Geschehnissen erfolgt sein.

[16] In 1,28 heißt es einmal: „als *Israel* stark wurde"; aber das muß m. E. nicht
notwendig auf die Zeit nach der Staatenbildung gehen – um so weniger, als
sonst die Bezogenheit der Städte auf die jeweiligen Stammesterritorien präzise
festgehalten ist. Freilich repräsentiert die jetzt vorliegende Liste, sofern sie auf
das gesamte Israel einschließlich Judas abhebt, vermutlich ein ziemlich spätes
überlieferungsgeschichtliches Stadium.

[17] *Nicht* gesagt wird das von den Städten der Philister (V. 18f) und Phönizier
(31f) sowie von Jerusalem (21) und Geser (29).

25

falls man sie überhaupt erwogen haben sollte, wohl allenfalls unter schwersten Verlusten durchzusetzen gewesen. Einer Verschmelzung beider Bevölkerungsteile stand sowohl die totale Verschiedenartigkeit der sozialen und ökonomischen Strukturen als auch die alles Fremde abstoßende Blutsverwandtschaft der Stämme und ihrer Untergliederungen im Weg. Und schließlich waren lebendige Kanaanäer nützlicher als tote; dies vorausgesetzt, hatte eine gewisse Arbeitsteilung zwischen Stadt und Land durchaus ihr Gutes – zumal dann, wenn man sich auch der von der anderen Seite erwirtschafteten Erträge bedienen konnte. Kurz: Der Versuch zur Unterdrückung der Kanaanäer war dem ihrer Vernichtung oder ihrer Gleichstellung eindeutig vorzuziehen.

Indes, Israel sollte diesen angenehmen Zustand nicht lange genießen können. Nicht, daß die Kanaanäer von sich aus das Blatt wieder hätten zurückwenden können. Die Gefahr kam von außen, von einem Konkurrenten Israels, der sich etwa gleichzeitig im Lande niederzulassen begonnen hatte: den Philistern. Sie kamen im Zuge der Seevölker-Wanderung in den Südwesten Palästinas und bildeten dort dank ihrer indogermanischen Herkunft und ihrer besonderen Geschichte[18] einen durchaus eigenständigen Faktor gegenüber den anderen Bewohnern des Landes. Anders als die Israeliten setzten sie sich sogleich in Städten fest, was zu einer weitgehenden Assimilierung an das Kanaanäertum führte. Doch haben sie sich während ihrer gesamten, bis hinein in die Römerzeit reichenden Geschichte immer als zusammengehörig empfunden. So entstand in Palästina eine ganz spezifische, zugleich stadtstaatlich und nationalstaatlich geprägte politische Organisationsform. Die Könige der fünf wichtigsten Philisterstädte bildeten, ohne ihre Souveränität aufzugeben, einen Bund, der offenbar jederzeit funktionsfähig war. Dieser geballten politischen und militärischen Macht hatten weder die Kanaanäer noch die Israeliten etwas Gleichwertiges entgegenzusetzen; die

---

[18] Sie scheinen z. B. den Gebrauch des Eisens in Palästina bekannt gemacht und auch sonst eine ganz spezifische Kultur besessen zu haben, vgl. BHH III, 1456.

einen litten an heilloser Zersplitterung, die anderen verschmähten noch jegliche staatliche Ordnung und Führung. Nur in akuten Notfällen unterstellten sich die wehrfähigen Männer eines Stammes, wenn es nicht anders ging, auch einmal mehrerer Stämme, vorübergehend dem Kommando eines tüchtigen, von Jahwe legitimierten Mannes; sobald die Gefahr gebannt war, hatte der ‚Retter‘ ins Glied zurückzutreten.[19]
Diese Verfassung gewährte den Stämmen zwar größtmögliche Ungebundenheit, war aber gegenüber einem starken, stets kampfbereiten und entschlossenen Gegner wie den Philistern auf die Dauer ineffektiv. Der Heerbann war ein schwerfälliger Apparat, die philistäischen Streitwagen und Berufssoldaten dagegen sofort verfügbar und äußerst beweglich. Nachdem schon ziemlich bald der Stamm Dan die Übermacht der Philister zu spüren bekommen und es schließlich vorgezogen hatte, in den hohen Norden Palästinas abzuwandern,[20] wurde Juda ihr neuer Nachbar – aber „Juda nahm nicht in Besitz[21] Gaza und sein Gebiet, Askalon und sein Gebiet und Ekron und sein Gebiet" (Ri 1,18). Ganz im Gegenteil, die Philister expandierten weit in das israelitische Bergland hinein. Zur Zeit Sauls operieren philistäische Truppen bei Azeka in der judäischen Schephela,[22] steht ein Philisterposten bei Michmas, mitten in benjaminitischem Gebiet,[23] sammelt sich ein Heer bei Aphek, weit nördlich des Stammlandes,[24] um gar nahe der Jesreel-Ebene Israel zum Kampf zu zwin-

---

[19] Das Schicksal Abimelechs (Ri 9) zeigt, wie unmöglich es damals selbst unter günstigen Voraussetzungen war, die Prinzipien kanaanäischen Königtums nach Israel zu verpflanzen.

[20] Die Simsongeschichten lassen, bei aller Bewunderung für den legendären Helden, die für Dan insgesamt ungünstige Situation deutlich genug erkennen. Es ist durchaus begreiflich, daß der eben im Norden zur Ruhe gekommene Stamm (Ri 18,27ff) dem Aufruf Deboras und Baraks keine Folge leistete (Ri 5,17)!

[21] *wajjilkōd* („er nahm gefangen", MT) ist eindeutig eine tendenziöse Textänderung, mit der die peinliche Aussage, wie sie in der gesamten LXX-Überlieferung festgehalten ist (οὐκ ἐκληρονόμησεν), verwischt werden soll.

[22] 1 Sam 17,1.

[23] 1 Sam 13,16.23.

[24] 1 Sam 29,1.

gen.[25] Das Land stand den Philistern offen. Und sie hielten es streng unter Kontrolle: „Im ganzen Land Israel war kein Schmied zu finden, denn die Philister dachten: Daß sich nur die Hebräer kein Schwert und keinen Spieß machen! So stieg ganz Israel hinunter zu den Philistern, wenn einer seine Pflugschar, seine Hacke,[26] seine Axt oder seinen Ochsenstecken zu schärfen hatte" (1 Sam 13,19f). Anfangs waren einzig Saul und sein Sohn Jonatan mit Schild und Spieß ausgerüstet.[27] Ein bezeichnendes Licht fällt auf die damaligen Machtverhältnisse auch von der Ladeerzählung her. Nach 1 Sam 4f fiel die Lade, Kriegspalladium der israelitischen Stämme[28] und Symbol ihrer und ihres Gottes Jahwe militärischer Kraft, für längere Zeit in die Hände der Philister – und war von da an für kriegerische Zwecke nicht mehr zu gebrauchen;[29] mit ihr haben die Israeliten sicher ein beträchtliches Stück Selbstbewußtsein verloren.

Nun ging diese tödliche Bedrohung zwar von den Philistern aus, nicht von den Kanaanäern. Doch verkörperte dieser neue Gegner nur eine wirksamere, gefährlichere Variante des städtischkanaanäischen Prinzips. Außerdem wird der philistäische Einfluß auf die palästinischen Städte auch außerhalb des eigentlichen Kernlandes mehr und mehr zugenommen haben.[30] Jahwe hatte

---

[25] 1 Sam 28,4; 31,1; 2 Sam 1,6.21.

[26] HAL 98: „Karst", was laut Brockhaus eine althochdeutsche Bezeichnung für ein „mehrzinkiges Hackgerät" ist.

[27] 13,22. So erklärt sich ein Stück weit, daß Saul nach der Überlieferung mit seinem Spieß förmlich verwachsen erscheint: 1 Sam 18,10f; 19,9f; 22,6; 26 passim; 2 Sam 1,6.

[28] Nicht das Zentralheiligtum! (Vgl. *R. Smend,* Jahwekrieg und Stämmebund [FRLANT 84], Göttingen ²1963, 56ff.)

[29] David holte sie zwar nach Jerusalem, und Salomo stellte sie ins Allerheiligste des Tempels; doch das waren politische, nicht militärische Schachzüge.

[30] *A. Alt* meint, sie hätten von Anfang an die Nachfolge des aus Palästina zurückweichenden ägyptischen Reiches übernommen (Kl.Schr. II, 3 u.ö.). Doch in Jos 10f, Ri 4f und auch in Ri 1 sind sie als Gegner offenbar noch nicht in Sicht. Es scheint, als wäre die Widerstandskraft der kanaanäischen Städte unter dem von *beiden* Seiten einsetzenden Druck zusammengebrochen, und als hätten den anschließenden Kampf um die Vorherrschaft die Philister aus schon erörterten Gründen zunächst für sich entscheiden können. Dabei mußten die Israeliten sicher schon sehr bald die gerade erst gewonnene Dominanz

in der Deboraschlacht die Israeliten auf dem Weg zur Herrschaft über Kanaan ein großes Stück vorangebracht – und nun wurden sie von den Philistern wieder zurückgeworfen!

Saul war denn auch, wie es scheint, genauso Philister- wie Kanaanäerhasser. Zwar hatte er in erster Linie gegen den stärkeren dieser beiden Feinde anzukämpfen; er tat es sein Leben lang,[31] mit wechselndem Erfolg und tragischem Ausgang. Aber vermutlich war in seinen, wohl in jedes aufrechten Israeliten Augen zwischen den philistäischen und den kanaanäischen Stadtkönigtümern kein wesensmäßiger Unterschied; hier wie dort herrschte im Grunde dasselbe, mit dem israelitischen unvereinbare wirtschaftliche, gesellschaftliche und religiöse[32] System. Von Sauls Haltung zu den Kanaanäern berichtet die Überlieferung nur beiläufig. Israels erster König war Benjaminit. Am oder im Stammesgebiet von Benjamin lagen die vier Gibeoniterstädte, so benannt nach ihrem Hauptort: Gibeon, Kefira, Beerot und Kirjat-Jearim.[33] In der ätiologisch ausgerichteten Erzählung Jos 9 wird geschildert, wie einst bei der Landnahme die Gibeoniten den Israeliten[34] das vertraglich gesicherte Versprechen ablisteten, daß sie nie von ihren Wohnsitzen vertrieben oder ausgerottet werden sollten.[35] Die Geschichte wird in ihrem Kern bestätigt durch die Bemerkung in 2 Sam 21,2, daß Saul die Gibeoniten, obwohl ein Vertragsverhältnis mit ihnen bestand, „zu ver-

---

über die Kanaanäerstädte an den stärkeren Kontrahenten abtreten. Ein deutliches Zeugnis dafür ist die Topographie der letzten Schlacht Sauls: Die Philister durchtrennten die Verbindung zwischen den mittel- und den nordpalästinischen Stämmen – just im Bereich des Städtegürtels von Megiddo. Und Sauls Leichnam wurde an die Mauer der alten Kanaanäerstadt Bet-Schean gespießt (1 Sam 31,11).

[31] 1 Sam 14,52.

[32] Die Philister verehrten Baal (2 Kön 1), Astarte/Atargatis (2 Makk 12,26) und Dagon (Ri 16,23; 1 Sam 5,1ff) – alles aus dem AT und aus ugaritischen Texten wohlbekannte kanaanäische Gottheiten.

[33] Jos 9,17.

[34] Ursprünglich wohl, wie bei allen Landnahmesagen in Jos 1-9: den Benjaminiten.

[35] Auffälligerweise werden in der Liste Ri 1 im Zusammenhang mit Benjamin denn auch nicht die Gibeoniterstädte genannt, sondern Jerusalem (V. 21).

nichten suchte in seinem Eifer für die Israeliten".[36] Der historische Vorgang ist uns nicht näher bekannt, aber schon diese kurze Notiz ist aufschlußreich genug: Saul „eiferte" für das Israelitentum, sein Haß gegen das Kanaanäische ließ ihn sogar über feierliche Schwüre – freilich nicht von ihm selbst und angeblich nur aufgrund vorgespiegelter Tatsachen geleistete – hinwegschreiten; einzig wichtig war ihm, daß die Gibeoniten sich „nirgends mehr im ganzen Gebiet Israels aufhalten" konnten (21,5). Sieben seiner Nachkommen haben für sein Bestreben mit dem Leben bezahlt.[37]

Noch ein zweites Mal ist davon die Rede, daß die Gibeoniten mit Saul und seinem Haus eine Rechnung zu begleichen hatten. Eschbaal, Sauls Sohn und Nachfolger, wurde von zwei Offizieren ermordet, die aus Beerot stammten.[38] „Beerot wurde nämlich auch zu Benjamin gerechnet, aber die Beerotiter flohen nach Gittajim,[39] wo sie als Beisassen leben bis auf diesen Tag".[40] Kaum ein Zweifel, daß die Flucht von Saul erzwungen, und daß an Eschbaal dafür Rache genommen wurde.

Es fällt in die Augen, daß in beiden Fällen nicht Saul selbst, sondern seine Nachkommen für sein Vorgehen gegen die Gibeoniterstädte haben büßen müssen. Daraus ist doch wohl zu folgern, daß seine eigene Stellung in Israel unangreifbar und gegenüber den Kanaanäern ausgesprochen dominant gewesen ist. Man

---

[36] Man könnte vermuten, daß die Erwähnung auch der Judäer in V. 2 auf das Konto späterer Überarbeitung geht.

[37] 2 Sam 21,8ff. Ob die hier angegebene Begründung für die Liquidierung der Saulssöhne nur vorgeschoben und der wahre Grund die Absicht Davids war, potentielle Konkurrenten auszuschalten, bleibe dahingestellt.

[38] 2 Sam 4. Die Mörder heißen „Söhne Rimmons" – laut *J. Strange* (The Inheritance auf Dan, StudTheol 20, 1966, 120–139) zu verbinden mit der aramäisch-kanaanäischen Gottheit Rimmon und dem philistäischen Ortsnamen Gat-Rimmon (Jos 19,45).

[39] Der Ort ist nicht mehr sicher zu lokalisieren, vgl. *A. Negev* (Hrsg.), Archäologisches Lexikon zur Bibel, 1972, 156. Sollte er mit dem philistäischen Gat identisch sein, dann hätte Saul das in 2 Sam 21,5 genannte Ziel, jedenfalls was Beerot anlangt, tatsächlich erreicht!

[40] 2 Sam 4,2b.3.

konnte ihm selbst nichts anhaben, darum hielt man sich an seine Familie.

Ein weiteres, ebenfalls gleichsam posthumes Indiz für die antikanaanäische Orientierung von Sauls Königtum stellt die Beschreibung von Eschbaals Reich in 2 Sam 2,9 dar. Der General und starke Mann Abner macht nach Sauls Tod dessen Sohn „zum König über Gilead, Asser, Jesreel, Ephraim, Benjamin – kurz: über ganz Israel". Man kann das geradezu eine Beschreibung von Mittel- und Nordpalästina minus Kanaan nennen. Über ein geographisch nicht sehr ausgedehntes und noch dazu zerrissenes, dafür aber ethnisch einheitliches Staatsgebiet verfügte Eschbaal, verfügte gewiß auch Saul.[41]

Saul war ein israelitischer Bauer aus Benjamin, von Israels Gott Jahwe an die Spitze seines Volkes gestellt,[42] von Israels Männern zum König eingesetzt,[43] „Herzog" in Israels Kriegen.[44] Doch er ist mit seinem Programm, Israel rein und Kanaan fern zu halten, gescheitert, ja er scheint damit das Entstehen einer Saulidendynastie von vornherein unmöglich gemacht zu haben. Es ist zu erwarten, daß der um so viel erfolgreichere David *dieses* Erbe nicht angetreten hat. Erbe Sauls war er aber insofern, als er die nun in Israel heimisch gewordene Institution des Königtums übernehmen konnte. Aus der lockeren Assoziation von Stämmen war ein Staatswesen geworden; Israel war bereit, sich dem Willen eines Herrschers zu beugen. Damit war den Kanaanäern die Waffe aus der Hand genommen, mit der sie geschlagen werden konnten – aber es war eine kanaanäische Waffe.

---

[41] Das schließt nicht aus, daß in den besseren Zeiten Sauls der schon im Verzeichnis Ri 1 geschilderte Zustand teilweise wiederhergestellt gewesen sein kann. Doch selbst wenn einzelne Kanaanäerstädte bestimmten Stämmen oder auch dem Gesamtreich untergeordnet gewesen sein sollten, voll integriert, in das Reich Israel einverleibt waren sie nicht.

[42] 1 Sam 11; vgl. auch 9,16f; 10,27ff.

[43] 1 Sam 11,15.

[44] 1 Sam 14,47f.

3. Kapitel

Das Großreich Davids

INTEGRATION

Brannten die Gibeoniten darauf, den Sauliden heimzuzahlen, was ihnen Saul angetan hatte, so verband sie mit David ein auffallend vertrauensvolles Verhältnis. *Er* war es, der ihnen, angeblich um Jahwes Zorn über die blutige Gibeonitenverfolgung zu besänftigen, sieben Saulsöhne zur Hinrichtung auslieferte.[1] *Ihm* überbrachten die Mörder Eschbaals, offenbar in der Hoffnung auf Belobigung und Belohnung, das abgetrennte Haupt des Getöteten. (Das allerdings ging David zu weit, er ließ die beiden niedermachen und den Kopf des Kontrahenten ordentlich bestatten.[2])

Saul hatte verbissen mit den Philistern gerungen, David gelang es schließlich, sie auf ihr Land zurückzuwerfen.[3] Auf diesem Feld herrscht Kontinuität zwischen den beiden ersten Herrschern Israels. Und doch tat David etwas, das man Saul niemals zutrauen würde: Er lief – sicher einigermaßen unfreiwillig, aber doch kühl berechnend – zu Israels Erzfeind über und stellte sich samt seiner Söldnerschar in den Dienst des Philisterkönigs Achisch von Gat.[4] Dieser verlieh ihm die Stadt Ziqlag als Lehen; damit war David kanaanäischer Stadtkönig von der Philister Gnaden![5] Die

---

[1] 2 Sam 21.

[2] 2 Sam 4,8ff. Die Szene ist verblüffend ähnlich gestaltet derjenigen von 2 Sam 1,2ff. Offenbar war hier eine ausgleichende Redaktion am Werk, die allen Wert darauf legte, Davids Verhältnis zu den Sauliden als durch und durch integer hinzustellen. Doch diesen und anderen Fragen zur Davidsgeschichte wird an anderer Stelle nachzugehen sein.

[3] David im Kampf gegen die Philister: 1 Sam 17f; 23,1ff; 2 Sam 5,17ff; 8,1; 21,15ff.

[4] 1 Sam 27; 30; in schamhafter Verschleierung auch 1 Sam 21,11ff.

[5] Vgl. *A. H. J. Gunneweg,* Geschichte Israels bis Bar Kochba, Stuttgart 1972, 65: David ist damit „im Rahmen des alten kanaanäisch-philistäischen Feudalsystems ... gesellschafts- und hoffähig geworden".

Abhängigkeit von den Philistern vermochte er wieder abzuschütteln, aber nirgendwo ist vermerkt, daß er auch die Rolle eines Herrschers von Ziqlag wieder abgelegt hätte.

Im Gegenteil, er wurde Herrscher noch eines zweiten, ungleich bedeutenderen Stadtstaates: Jerusalem. *Albrecht Alt*[6] hat verstehen gelehrt, warum gerade dies die Residenzstadt, „Davids Stadt", werden mußte. Jerusalem lag zentral, fast genau auf der Grenze zwischen den unter David in Personalunion vereinten Königreichen Juda und Israel.[7] Wichtiger noch: Es war eine Stadt weder mit israelitischer noch mit judäischer Vergangenheit, sondern gegenüber diesem Dualismus neutral. Es war eine bis dahin unerobert gebliebene kanaanäische Stadt, und David ließ sie klugerweise nicht vom Heerbann erstürmen, sondern von seinen eigenen, ihm gleichsam gehörenden Söldnern;[8] so wurde die Eroberung sein persönlicher Besitz, frei von jeglichen Ansprüchen seitens der Stämme, und möglichem Streit zwischen ihnen enthoben. Diesem plausiblen Bild ist nun aber ein weiterer, von *A. Alt* wenig beachteter Zug hinzuzufügen: Jerusalem war eine *kanaanäische* Stadt. Hätte David nur der Alternative zwischen Israel und Juda ausweichen wollen, dann wäre es wohl am vernünftigsten gewesen, an noch unbebauter Stelle eine neue Stadt aus dem Boden zu stampfen, wie es später Omri im Norden getan hat.[9] Offensichtlich ging es David um mehr: Er wollte, wiewohl König von Juda und Israel, den Kanaanäern ein Kanaanäer werden.[10] Damit hat er eine Schleuse geöffnet, durch die kaum zu überschätzende kanaanäische Einflüsse nach Juda eindringen sollten. Aber das Risiko dürfte kalkuliert gewesen sein. David brach bewußt mit dem israelitischen Nationalismus Sauls,

---

[6] Kl.Schr. II, 45ff.

[7] Daß es ein bißchen mehr nach Juda ausgerichtet war, entsprach der judäischen Herkunft Davids.

[8] 2 Sam 5,6ff.

[9] S. unten Kap. 6.

[10] Die Söhne, die ihm in Jerusalem geboren wurden, trugen – anders als die vorher geborenen – fast alle Kanaan-haltige Namen, vgl. 2 Sam 3,2ff mit 5,13ff, dazu *H. S. Nyberg*, Studien zum Religionskampf im Alten Testament: AR 35 (1938) 329-387, hier 373f.

um Kanaan, um die alte Stadtkultur Palästinas in sein Reich einbeziehen zu können. Die Residenz im jebusitischen Jerusalem war das Symbol dieses Willens.[11]

Es scheint, daß die Kanaanäer das Zeichen verstanden haben. Nirgendwo hören wir von Kämpfen um ihre Städte, und doch erfährt man einmal fast beiläufig, daß sie zu einem nicht mehr näher zu bestimmenden Zeitpunkt in das von David errichtete Staatsgefüge eingebaut waren. Als eine Gruppe hoher Offiziere auf Davids Anweisung eine Volkszählung vornimmt, geht sie nach der Überlieferung einen Weg, der offenbar eine Art Grenzbeschreibung des damaligen Reichsgebietes darstellt.[12] Die Westgrenze wird angegeben mit den beiden Phönizierstädten Sidon und Tyrus sowie „allen Städten der Chiwwiter und der Kanaanäer" und verläuft dann in südöstlicher Richtung hinunter nach Beerscheba.[13] Die Städte entlang der Küstenebene, etwa von Akko bis Geser, und dann natürlich auch die weiter landeinwärts gelegenen kanaanäischen Zentren, zählten also fest zu Davids Herrschaftsbereich.[14]

Wenn David dies alles anscheinend kampflos zugefallen ist, dann gewiß auch, weil er zuvor in den Philistern die einzigen ernsthaften Konkurrenten um die Vorherrschaft aus dem Feld geschlagen hatte.[15] Daneben aber dürfte es ihm gelungen sein, die Kanaanäer davon zu überzeugen, daß er kein zweiter Saul war, daß sie von ihm nichts Ernsthaftes zu befürchten hatten, daß er ihnen vielmehr in seinem Reich einen angemessenen Platz zuweisen würde – siehe Gibeon, siehe Ziqlag, siehe Jerusalem! David wußte sich, in diesem wie in anderen Fällen, beides zu verschaffen: Respekt und Vertrauen.

---

[11] Nicht von ungefähr verzichtete David auf die Vertreibung oder Ausrottung der bisherigen Bewohner. Sie waren einer der vielen Faktoren, die er miteinander auszubalancieren verstand.

[12] 2 Sam 24,5-7.

[13] Also unter Ausschluß Philistäas.

[14] Der Text redet, etwas verwirrend, von der Zählung speziell der Israeliten und Judäer (V. 1.9) bzw. nur der Stämme Israels (V. 2.4); das ist historisch nicht ganz korrekt.

[15] Daß er erst recht mit einzelnen Städten fertig wurde, und wenn sie noch so gut befestigt waren, das hatte er an Jerusalem demonstriert.

Die grundsätzliche Offenheit gegen das Kanaanäertum war David eigentlich nicht an der Wiege gesungen. Er war Sohn eines judäischen Bauern,[16] und zog sich, nachdem er bei Saul zu hohen Ehren aufgestiegen und dann in Ungnade gefallen war, in den tiefen Süden Judas[17] zurück. Dort, in seinem heimatlichen Element, konnte er bald eine Schar von Anhängern und Mitstreitern um sich sammeln[18] und sich dem Zugriff Sauls längere Zeit entziehen. Von Ziqlag aus versorgte er dann die judäischen Brüder mit Beuteanteilen aus seinen Raubzügen.[19] Seine ersten Frauen waren, abgesehen von Sauls Tochter Michal, Landjudäerinnen.[20] Seine Treue zu den Kampfgenossen der Anfangszeit war nahezu unverbrüchlich; zeitlebens hatte er seine „Männer" um sich,[21] Angehörige der Truppe, die er damals in der judäischen Wüste um sich geschart hatte, und wichtigste Positionen an der Spitze des Staates wurden von alten Gefährten innegehalten.[22]

---

[16] 1 Sam 17,12ff.

[17] Ich unterscheide hier und im folgenden nicht zwischen dem Stammesgebiet von Juda im engen Sinn und den inzwischen integrierten oder doch assoziierten Bruderstämmen wie Kaleb, Kain usw.

[18] In 22,1 ist in diesem Zusammenhang von seinen „Brüdern" und dem „Haus seines Vaters" die Rede, was man nicht nur auf die engere Verwandtschaft beziehen kann. Gewiß stammten seine Gefährten größtenteils aus Südpalästina, vgl. auch die Herkunftsorte der *gibbôrîm* in 2 Sam 23,18ff und dazu die gründliche Analyse von *K. Elliger,* Die dreißig Helden Davids, (1935 =) *ders.,* Kleine Schriften zum Alten Testament (ThB 32) München 1966, 72-118, bes. 81-107.

[19] 1 Sam 30,26ff. Bezeichnend ist die zusammenfassende Bemerkung: „überallhin, wo David und seine Männer umhergezogen waren"; d. h. er revanchierte sich für wohlwollende Behandlung zur Zeit seiner Flucht.

[20] 1 Sam 25; 2 Sam 3,2.3a. Daß diese Reihenfolge nicht zufällig war, zeigt einerseits die Heirat eben Michals, andererseits die der Maacha, Tochter des Königs von Geschur (2 Sam 3,3b); Geschur ist ein kleines aramäisches Königtum in der Nähe des Hermon, also nördlich des saulidischen Reiches.

[21] Die Belege, abgesehen von 1 Sam 23-25 passim: 1 Sam 27,3.8; 29,2.11; 30,1.3.22.31; 2 Sam 1,11; 2,3; 5,6.21; 16,13; 17,8.12; 19,42; 21,17. – Zu beachten ist hier auch die Rolle, die Davids „Helden" (s. Anm. 18) noch bei der Inthronisierung Salomos spielen, 1 Kön 1,8.10.

[22] Vgl. die Listen 2 Sam 8,16-18 und – noch in salomonischer Zeit! – 1 Kön 4,7-19.

Über seinen landjudäischen Bindungen und seinen prokanaanäischen Tendenzen vernachlässigte das „politische Genie" David
(A. Alt) indes keineswegs seine Beziehungen zu den nordisraelitischen Stämmen. An dieser Stelle nämlich mußte er ein besonders heikles Problem lösen. Nicht nur, daß die Nordisraeliten als
ersten König einen Kanaanäerfeind hatten und nun als nächsten
einen Mann des Ausgleichs zwischen den Parteien bekommen
sollten. Brisanter noch war es, daß man sich wohl schon damals
nur schwer des Eindrucks erwehren konnte, der Niedergang und
das Ende der Sauliden habe in einem gewissen Zusammenhang
gestanden mit dem Aufstieg Davids. Dieser ließ kaum eine Gele-
genheit ungenutzt, seine vollkommene Unschuld und Integrität
gegenüber dem Hause Sauls unter Beweis zu stellen. Den Tod
Sauls und Jonatans beklagt er eindringlich (2 Sam 1,11f.17ff),
angesichts der Morde an Abner und Eschbaal wäscht er öffentlich seine Hände in Unschuld (2 Sam 3,31ff; 4,9ff), den verkrüp-
pelten Jonatan-Sohn Meribaal nimmt er demonstrativ zu sich an
den Hof (2 Sam 9)[23], gegen den in der Not des Absalomaufstan-
des ihn verfluchenden und beleidigenden Saul-Nachkommen
Simei läßt er Gnade vor Recht ergehen (2 Sam 16,5ff; 19,17ff)[24].
David belobigt die Leute von Jabesch, daß sie die Leiche Sauls
unter mutigem Einsatz den Philistern entwendet und bestattet
haben (2 Sam 2,5)[25], und mit ihrer Hilfe verschafft er allen bis
dahin ums Leben gekommenen bzw. gebrachten Sauliden ein eh-
renhaftes Erbbegräbnis (2 Sam 21,12ff). Mehr noch als mit solchen Gesten gegenüber ihrem angestammten Herrscherhaus
mag David die Herzen der Nordisraeliten damit gewonnen haben, daß er der Lade, dem alten, in Unehre und Vergessenheit

---

[23] Zur deuteronomistischen Ausweitung und Vertiefung dieses Themas vgl. *T.
Veijola,* Die ewige Dynastie. David und die Entstehung seiner Dynastie nach
der deuteronomistischen Darstellung, Acta Academiae Scientiarum Fennicae
(Ser. B Tom. 193), Helsinki 1975, 81-93.

[24] Man vergleiche damit das gnadenlose Vorgehen Salomos gegen diesen Mann,
1 Kön 2,36ff. (Davids Auftrag dazu in 2,8f ist deuteronomistische Zutat, vgl.
Veijola, Dynastie 34.)

[25] Daß er im gleichen Augenblick auch schon für sich selbst wirbt (2,7), steht
nicht unbedingt auf einem anderen Blatt.

geratenen Symbol ihrer kriegerischen Kraft, zu neuem Glanz verhalf und sie feierlich in seine Hauptstadt überführte (2 Sam 6).

Wenn vorhin zu sagen war, daß David den Kanaanäern ein Kanaanäer wurde, dann ist jetzt hinzuzufügen, daß er den Israeliten ein Israelit zu werden suchte und den Judäern ein Judäer blieb. Es nimmt nicht wunder, daß es diesem Mann gelang, nacheinander die judäische und die israelitische Königskrone zu gewinnen. Sein Vorgänger hatte das Charisma des mit Jahwes Geist begabten „Retters", David hatte das sehr andere, aber kaum minder wirksame des klug ausgleichenden Politikers. Saul mochte von Jahwe berufen und dann von Israel akzeptiert worden sein, David war von den „Männern Judas" und von den „Ältesten Israels" in freier Entscheidung zum König gesalbt worden.[26]
Die ihn damals auf den Schild hoben, werden kaum geahnt haben, daß er wenig später das jebusitische Jerusalem zu seiner Hauptstadt machen und das Reich um die Territorien der Kanaanäerstädte arrondieren werde. Sie ließen es geschehen, und nichts deutet darauf hin, daß sie ihm deswegen gram gewesen wären.[27] Vermutlich haben sie sich davon Vorteile versprochen – und auch tatsächlich gehabt. Ihr Verhältnis zum Kanaanäertum war ja durchaus gespalten: Einerseits verbot sich ihnen von ihrer Herkunft und ihrem ganzen Wesen her eine Verbrüderung mit den Städtern. Andererseits bedeutete deren Wohlstand und Wohlleben[28] eine ständige Verlockung für sie, und längst hatten

---

[26] 2 Sam 2,4; 5,3.

[27] Man kann allerdings erwägen, ob nicht hinter den beiden großen Aufständen der Davidszeit, demjenigen Absaloms (2 Sam 15-19) und demjenigen Schebas (2 Sam 20), *auch* solche Beweggründe standen. Absalom läßt sich in Hebron zum König ausrufen – doch sicher in erster Linie über Juda. Mit David ins Ostjordanland ziehen nur Berufssoldaten, während Absalom den Volksheerbann hinter sich hat. Es sieht ganz danach aus, als habe man damals im Grunde nur den Mann an der Spitze, der – vielleicht *auch* durch seine kanaanfreundliche Politik – kompromittiert war, durch einen neuen Führer ersetzen wollen. Erst als dies scheiterte, fand im Norden, dem ungleich stärker mit Kanaanäerstädten durchsetzten Reichsteil, der Ruf zur Separation Widerhall.

[28] Den in vergleichsweise kärglichen Verhältnissen lebenden israelitischen Bauern stach natürlich in erster Linie das Leben der Oberschicht in die Augen. Von außen sieht man zunächst die Fassade.

sie ja all des Schönen, das da vor ihnen lag, habhaft zu werden versucht. Dank David nun war das möglich geworden. Doch der gewiegte Taktiker verstand es offenbar, die Begehrlichkeit seiner Landsleute mit ihrem Abwehrinstinkt gegen das ihnen fremdartige kanaanäische Gesellschaftssystem im Gleichgewicht zu halten – so wie er den kanaanäischen Stadtstaaten die Selbständigkeit nahm und ihnen dann doch ein gewisses Eigenleben ließ. Wir können Davids Geschick beim Ausbalancieren dieser Gewichte an einer Reihe von Einzelmaßnahmen beobachten.[29] Es beginnt damit, daß er als judäischer Bauernsohn Söldner in König Sauls Diensten wird (1 Sam 16,21; 18,2).[30] Er steigt zum Kommandeur der Berufssoldaten auf, befehligt aber zeitweise auch größere Gliederungen des Heerbanns (1 Sam 18,5.13).[31] Als Stadtfürst von Ziqlag unterhält er freundschaftliche Beziehungen zu seinen judäischen Landsleuten (1 Sam 30,26ff). Sieben Jahre lang residiert er als König von Juda in Hebron (2 Sam 5,4), jetzt Hauptort der Kalibbiter,[32] einst aber bedeutender kanaanäischer Stadtstaat.[33] Dann siedelt er nach Jerusalem über, nicht ohne die ihm vertraute und ergebene, vorwiegend judäische Begleitung mitzunehmen und bald das genuin-israelitische Ladeheiligtum in die Stadt zu holen. Seine obersten Priester sind Ebjatar, Sproß eines alten israelitischen Priestergeschlechts,[34] und Zadoq, ein Mann von vermutlich jebusitischer Abstammung (2

---

[29] Auf das zwar moralisch vielleicht fragwürdige, aber jedenfalls schlaue Spiel mit Gibeoniten und Jabeschiten (1 Sam 11; 31,11f; 2 Sam 2,4f; 21) sei hier nur anmerkungsweise noch einmal hingewiesen.

[30] Das Söldnertum war eine von den Kanaanäern übernommene Einrichtung.

[31] Die beiden termini technici sind ʾanšê hammilḥāmāh, „Kriegsleute, Berufssoldaten" auf der einen und ʾælæf „Tausendschaft" bzw. ʿam „Volk(sgenossen), Heerbann" auf der anderen Seite. Zu ihrer oben und übrigens auch in Jer 38,4 vorgenommenen sachlichen Unterscheidung vgl. 1 Kön 9,22; 2 Kön 25,4; Jes 3,2; Jer 41,3; Ez 27,10 einerseits und *R. de Vaux* (Das Alte Testament und seine Lebensordnungen, II, 17) bzw. *L. Rost* (Die Bezeichnungen für Land und Volk im Alten Testament, in: *ders.*, Das kleine Credo und andere Studien zum AT, Heidelberg 1965, 76-101, speziell 91) andererseits.

[32] Siehe Anm. 17 und Jos 14,13f; Ri 1,20.

[33] Num 13,22; Jos 10 passim; 14,15.

[34] 1 Sam 22,20.

Sam 8,17).[35] Seine militärischen Erfolge erringt er teils mit seiner Söldnertruppe,[36] teils mit dem Heerbann, manchmal auch mit beiden zusammen.[37]

Noch gegen Ende seines Lebens hat David dieses Spiel mit verschiedenen Bällen, dem städtisch-kanaanäischen und dem ländlich-judäischen bzw. -israelitischen, mit Hingabe und Ausdauer betrieben. Freilich, der Dualismus zwischen Israel und Kanaan war inzwischen hochexplosiv geworden, und der alte Fuchs hatte Mühe, sich elegant zwischen den bedrohlich aufeinander zurückenden Fronten zu bewegen. Perfekt, so scheint es, ist ihm das nicht mehr gelungen – sei es, weil er selbst,[38] sei es, weil die Zeiten sich geändert hatten. Am Jerusalemer Hof (und sicher auch draußen im Land) hatten sich nämlich zwei regelrechte Parteien gebildet, die auf das Erbe des greisen Monarchen Anspruch erhoben: eine, um es abgekürzt zu sagen, *Landpartei* und eine *Stadtpartei*. Beide hatten als Exponenten einen Prinzen: die eine Adonja, die andere Salomo.[39] Damit tritt die Auseinandersetzung in ein neues Stadium.

---

[35] Das ergibt sich daraus, daß er vor 2 Sam 5 nie erwähnt wird, sowie aus seinem Namen: *ṣædæq* scheint geradezu ein Epitheton Jerusalems, wenn nicht der Name einer jebusitischen (Haupt-)Gottheit gewesen zu sein, vgl. Gen 14,18; Jes 1,21.26 und dazu *Dietrich*, Jesaja und die Politik, 20.40f. Vgl. außerdem unten Kap. 4 Anm. 2.

[36] Sie scheint bald nicht mehr judäisch dominiert gewesen zu sein; in den Vordergrund treten mit der Zeit die „Kreti und Pleti", wohl Philister, und eine 600 Mann starke Abteilung aus dem philistäischen Gat (2 Sam 15,19f). Doch auch in diesem Teilsektor ist David offenbar ein Ausgleich zwischen den Volksgruppen gelungen.

[37] Belege hierfür aufzuführen, erübrigt sich.

[38] Darauf weist recht drastisch die in 1 Kön 1,1-4 mitgeteilte Szene.

[39] Vgl. *Gunneweg*, Geschichte Israels 80, und vor allem *G. W. Ahlström*, Der Prophet Nathan und der Tempelbau: VT 11 (1961) 113-127.

4. Kapitel

Die Herrschaft Salomos

KOOPERATION

Adonja hatte beim Kampf um die Nachfolge Davids an führenden Persönlichkeiten Joab und Ebjatar auf seiner Seite, Salomo hingegen Benaja, Zadoq und Natan (1 Kön 1,7f).[1] Daß Ebjatar Repräsentant des spezifisch israelitischen Kultus war, Zadoq der des jebusitischen, wurde bereits erwähnt.[2] Wie Zadoq, so begegnet Natan erst seit der Jerusalemer Zeit Davids,[3] während ihn der zweite Mann mit dem Titel „Prophet", Gad, seit seinen Anfängen als Führer einer Streifschar im judäischen Süden begleitet hat; hätte er zum Zeitpunkt der Thronfolge noch eine bedeutendere politische Rolle gespielt, er wäre gewiß auf der Seite Adonjas zu finden gewesen. Das entscheidende politische Gewicht dürften indes nicht die Vertreter der Religion dargestellt haben, sondern die der Armee. Joab, der zu Adonja hielt, war ein Neffe

---

[1] Die außerdem noch genannten Simei (vgl. 1 Kön 4,18) und Reï (falls nicht *rē-ʿājw*, „seine Verwandten", zu lesen ist!) sind zu wenig bekannt, als daß sie für unsere Erwägungen herangezogen werden könnten.

[2] Vgl. dazu auch *Nyberg*, Religionskampf 375, und *C. E. Hauer*, Who was Zadok?: JBL 82 (1963) 89-94. Anders *E. Auerbach*, Die Herkunft der Zadokiden: ZAW 49 (1931) 327f. S. auch Kap. 3 Anm. 35.

[3] Zu diesem – wenn auch indirekten – Hinweis darauf, daß er Jerusalemer war, kommt noch, daß ihn die Überlieferung nur mit Dingen in Zusammenhang bringt, die – vorsichtig gesagt – nicht gerade genuin-israelitisch wirken: Tempelbau (2 Sam 7,1ff), Dynastiebildung (2 Sam 7,11ff), Erziehung und Protegierung eines Prinzen (2 Sam 12,25; 1 Kön 1,11ff). Ähnlich beurteilt *H. Gese* die Sachlage: Der Davidsbund und die Zionserwählung, in: *ders.*, Vom Sinai zum Zion (BEvTh 64) München 1974, 122. 2 Sam 12 darf nicht dagegen ins Feld geführt werden; diese Erzählung ist in der Hauptsache eine spät in den jetzigen Kontext eingefügte Sonderüberlieferung, vgl. zuletzt *W. Dietrich*, Prophetie und Geschichte (FRLANT 108) Göttingen 1972, 127ff; *E. Würthwein*, Die Erzählung von der Thronfolge Davids – theologische oder politische Geschichtsschreibung? (ThSt 115) Zürich 1974, 23ff; *Veijola*, Dynastie 113.139f.

Davids[4] und gehörte zum Kern der ‚judäischen Clique' um den König.[5] Nach 1 Chr 11,6 war sein Aufstieg mit der Eroberung Jerusalems verbunden. Als *śar-haṣṣābā'*, das heißt als Oberkommandierender des kriegführenden Heeres,[6] wird er in den Listen der Spitzenbeamten Davids an erster Stelle geführt (2 Sam 8,16; 20,23). Merkwürdigerweise wird neben ihm noch ein zweiter Soldat erwähnt: Benaja, Kommandeur der „Kreti und Pleti", nach üblicher Auffassung der Leibwache Davids.[7] Offensichtlich war Benaja nicht dem Joab, sondern, wie dieser, dem König unmittelbar unterstellt.[8] Wie sonst so oft, scheint David auch hier zwei Gewichte miteinander austariert zu haben: auf der einen Seite der befähigte, unbedingt loyale Heerführer, der ihm eine Schlacht nach der anderen gewann, auf der anderen ein ebenso kühner wie zuverlässiger Offizier,[9] der ihm die militärische Sicherheit seiner Residenz garantiert.[10] Es wäre ja auch nicht verwunderlich, wenn ihm Joab, der skrupellos Männer wie

---

[4] Vorausgesetzt ist dabei, daß die in 2 Sam 17,25 erwähnte Abigal, Schwester von Joabs Mutter Zeruja, tatsächlich eine Tochter Isais war (so LXX[L] sowie 1 Chr 2,16, nicht aber MT). Sein relativ spätes Auftauchen (ab 2 Sam 2) würde sich dann vielleicht damit erklären, daß er eine Generation jünger war als David.

[5] Als David König von Juda, Eschbaal König von Israel war, stellte Joab das judäische Pendant zu dem nordisraelitischen General Abner dar (2 Sam 2f). Es ist übrigens gewiß kein Zufall, daß beide Heerführer Blutsverwandte ihres Königs waren (für Abner s. 1 Sam 14,50f).

[6] *ṣābā'* wird „für das zu Feld ziehende oder vor dem Feind befindliche Heer, ohne Unterschied, ob stehendes Heer oder Heerbann oder gemischte Truppe, gebraucht" (*Rost*, Bezeichnungen für Volk und Land, 100 Anm. 205).

[7] Die Identifikation scheint sich daraus zu ergeben, daß Benaja anderwärts als Chef der *mišma'at* (HAL: „Leibwache") bezeichnet wird: 2 Sam 23,23.

[8] Man fühlt sich erinnert an das Nebeneinander des *śar-haṣṣābā'* Abner und des Söldnerführers David am Tische Sauls (1 Sam 20,25).

[9] Vgl. 2 Sam 23,20-22. Es verdient übrigens Beachtung, daß Benaja, zwar nicht, wie Joab, mit David verwandt, aber doch ein Landjudäer war (vgl. Kabzeel in Jos 15,21). Mit den philistäischen Mannen seiner Truppe verbindet ihn nur der Beruf des Soldaten.

[10] Unter Salomo dann waren beide Funktionen in Benajas Hand vereinigt, er figuriert als einziger Militär in der Liste 1 Kön 4,2-6. Das ist nicht untypisch; auch sonst war Salomos Haltung in solchen Dingen einseitiger als diejenige Davids.

Abner, Absalom, Amasa beiseiteräumte, im stillen doch ein wenig unheimlich gewesen wäre. Indes, das Gegenüber der beiden Generale scheint noch tiefere Gründe zu haben. Joabs Stellung bedingte, daß er im Lande umherkam und mit dem Heerbann, den freien israelitischen und judäischen Bauern also, Umgang hatte.[11] Benaja hingegen saß fest in Jerusalem, und sein Umgang waren die in der Hauptstadt konzentrierten Söldnertruppen. Draußen im Lande mag Joab als der starke Mann Davids gegolten haben, in Jerusalem war es Benaja. Ja, man könnte geradezu vermuten, der nach wie vor staatsrechtlich eigenständige Stadtstaat Jerusalem sei auch eine eigene Militärregion und Benaja ihr Befehlshaber gewesen. Joab und Benaja – das waren sicher die Trumpfkarten im Spiel um die Macht.

Die in 1 Kön 1-2 geschilderten Ereignisse lassen noch deutlich genug erkennen, daß es letztlich nicht um Rivalitäten zwischen Individuen – zwischen zwei Prinzen, zwei Generälen, zwei Priestern – ging, sondern um die Frage, welches der beiden, von David so geschickt im Gleichgewicht gehaltenen Prinzipien nach ihm herrschend werden sollte: das ländlich-israelitische oder das städtisch-kanaanäische.

Adonja gerierte sich schon längere Zeit als der kommende König, „und sein Vater hinderte[12] ihn nicht" – so wenig, wie er ihn bestärkte.[13] Warum auch sollte er sich vorzeitig festlegen, den Standort zwischen oder auch über den Parteien verlassen und eine von beiden gegen sich aufbringen? Erst als Adonja ernst machte, im letzten Augenblick, als eine Entscheidung kaum mehr zu umgehen war, ergriff er Partei: für Salomo. Auch dieser hatte seine Fäden längst gezogen, besaß am Hof seine Vertrauten, wurde sicher mit gutem Grund als einziger der Prinzen *nicht* zu Adonjas großem Festmahl eingeladen.[14] Adonja seinerseits

---

[11] Vgl. nur 2 Sam 24.

[12] Mit LXX^BA gegen MT.

[13] 1 Kön 1,5f.

[14] Daß bei diesem Mahl an der Walkerquelle Adonja zum König ausgerufen worden sei, hören wir nur aus dem Munde des Natan (V. 11.13.25). Sollte Salomos Königsherrschaft mit einem Bluff des Propheten Natan (und einem noch größeren der Batseba, V.17) angefangen haben?

sammelte um sich außer Joab, Ebjatar und seinen Brüdern, die demnach seinen Führungsanspruch anerkannten, „alle Männer aus Juda, die[15] Knechte des Königs waren" (1 Kön 1,9); das heißt, während Adonja die landjudäischen Kreise aus Jerusalem abzog,[16] blieben in der Stadt, bei Salomo und David, im wesentlichen nur die Jebusiter und Ausländer, namentlich Söldner, zurück.[17]

Eine derart scharfe Polarisierung mußte David aus der Reserve treiben. Sein kunstvoll zusammengefügtes Reich drohte zu zerreißen. Der Kronprinz Adonja ließ sich offensichtlich zur Galionsfigur der national-judäischen bzw. -israelitischen Strömungen machen und gefährdete damit die labile Einheit. Möglicherweise konnte es ihm gelingen, die kanaanäischen Zentren dem Willen der Israeliten und Judäer zu unterwerfen – aber um welchen Preis? Hatte nicht das Schicksal Sauls die Unmöglichkeit eines streng israelitisch ausgerichteten Königtums erwiesen, und beruhten seine eigenen Erfolge nicht gerade auch darauf, daß er im Aufbau seines Reiches, in der Organisation von Militär, Wirtschaft und Gesellschaft vielfach kanaanäischen Mustern gefolgt war? So konnte David, einmal vor die in seinen Augen sicher unglückliche Alternative gestellt, kaum anders, als sich gegen Adonja entscheiden. Salomo dagegen war, obwohl vielleicht etwas eng an die Kanaanäer gebunden, doch gezwungen, sich mit den Israeliten und Judäern zu arrangieren; andernfalls würde er zum bedeutungslosen Stadtkönig von Jerusalem absinken. Es galt nun eben, die Autorität des großen Königs und Reichsgrün-

---

[15] Die Apposition *ʿabdê hammælæk* wird im Deutschen wohl am besten mit einem Relativsatz wiedergegeben.

[16] Es ist interessant zu sehen, daß die *ʾanšê jᵉhûdāh* außer hier nur noch einmal auftreten: in 2 Sam 2,4, wo sie David zum König über Juda salben.

[17] Wenn Simei Benjaminit war und die *gibbôrîm* identisch sind mit den in 2 Sam 23,8-23 (vgl. auch 10,7; 16,6) Genannten, dann hielten auch noch einige nicht-kanaanäische Gruppen zu Salomo. Diese scheinen besonders eng an den König gebunden gewesen zu sein, was wiederum auf ihn ein bezeichnendes Licht wirft.

ders voll zugunsten Salomos in die Waagschale zu werfen; und außerdem gab es für alle Fälle ja die Kreti und Pleti.[18]
Adonja fand die Unterstützung Joabs, des berühmten Feldherrn und Befehlshabers. Doch Joab hatte kein Heer zur Verfügung; die Zeiten waren friedlich, der Heerbann nicht aufgeboten. Die stehenden Truppen in Jerusalem aber hörten auf Benajas Kommando, und der war Salomos Mann. Es wiederholte sich, was schon bei Absaloms Aufstand geschehen war: Das Volksheer – diesmal ja noch nicht einmal einberufen – vermochte nichts gegen die disziplinierten, wohltrainierten, gut bewaffneten und vor allem schnell verfügbaren Berufssoldaten Davids.[19]
Durch einen überraschenden Coup, einen Staatsstreich von oben, bei dem entschlossen augenblickliche politische und militärische Vorteile genutzt wurden, gelangte Salomo an die Macht – und es gab nur *eine* Gruppierung, die darüber in Jubel ausbrach: die jebusitische Einwohnerschaft von Jerusalem. Zweimal wird in dem Bericht hervorgehoben, daß „die ganze Stadt außer sich geriet"[20] (1 Kön 1,41.45). Sauls Königtum beruhte auf

---

[18] Der Erzähler der Thronfolgegeschichte vermag es sich nicht anders vorzustellen, als daß dem altersschwachen David (V. 1-4) die Parteinahme für Salomo in einer äußerst fragwürdigen Manier abgelistet worden ist (V. 11-34). Doch ganz zu Recht weist Würthwein (Erzählung von der Thronfolge, 13f) darauf hin, daß dem Verfasser für die geheimen Absprachen und Intrigen, die er hier breit wiedergibt, keine Zeugen zur Verfügung gestanden haben werden. Er malt sich und anderen aus, wie es gewesen sein muß – nicht unbedingt, wie es war. Daß es wohl ein wenig anders war, als er es sich denkt, dafür spricht, abgesehen von den oben angestellten Überlegungen, einerseits, daß die am Ende so starren und in sich kohärenten Gruppierungen langsam gewachsen und David dabei nicht verborgen geblieben sein dürften, andererseits, daß Davids allerengste Umgebung schon vor der Entscheidung auf Salomos Seite zu finden war, vgl. V. 8. Will man doch daran festhalten, daß der biblische Bericht in diesem Punkt historisch das Richtige trifft, dann gilt dennoch, daß die Entwicklung mit innerer Folgerichtigkeit von David und am Schluß vielleicht sogar über ihn hinweg zu Salomo und nicht zu Adonja verlaufen ist.

[19] Daß Joab einmal auf dieser Seite, einmal auf der anderen zu finden ist, zeigt, wie wenig am großen Heerführer, wie viel an der strukturellen und taktischen Überlegenheit der stehenden Truppe lag.

[20] So die Wiedergabe von *hôm* in HAL. Vom gleichen Wortstamm dürften die Begriffe *hmh* und *hāmôn* sein, die einen Zustand der lauten, tosenden Erregt-

der Berufung durch Jahwe und der Akklamation Israels;[21] David wurde noch von den „Männern Judas" und den „Ältesten Israels" zum König erhoben;[22] Salomos Rückhalt waren, zu Anfang jedenfalls, die prokanaanäischen Kreise am Jerusalemer Hof, die in Jerusalem stationierten Söldner (zumeist nicht-israelitischer Herkunft) und die kanaanäischen Bewohner Jerusalems. Es ist kaum eine Übertreibung zu behaupten, daß Israel und Juda unter Salomo in die Rolle von Vasallen des Stadtkönigs von Jerusalem gerieten.[23]

Über die Verhältnisse in der Salomozeit unterrichtet uns eine vergleichsweise reichlich fließende Überlieferung. So können wir mit einiger Bestimmtheit sagen, daß dieser König den Gesetzen, unter denen er angetreten war, allezeit treu geblieben ist. Wir schreiten, um dies zu belegen, im folgenden einige Bereiche seiner Herrschaft, gleichsam die wichtigsten Ressorts seiner Regierung, ab. Doch werfen wir zuvor rasch einen Blick auf die Führungsspitze des salomonischen Reiches, wie sie uns in den Listen 1 Kön 4,1-6.7-19 entgegentritt. Sie wahrt in einigen Positionen – zum Beispiel Josaphat als ‚Kanzler',[24] Adoniram als oberster Fronaufseher, ein Neffe Davids[25] als Gouverneur[26] – betont die Kontinuität zu David. Viel mehr jedoch lag Salomo daran, die Männer, die ihm auf seines Vaters Thron geholfen hatten, reichlich zu belohnen. Benaja ist jetzt anstelle Joabs Oberkommandierender des Heeres; der in 1 Kön 1,8 genannte Benjaminit Simei hat es zum Gouverneur gebracht; Zadoq bzw. dessen Sohn Asarja haben die Funktionen Ebjatars mit übernom-

---

heit beschreiben; in Wortlaut und Sache nahe bei 1 Kön 1,41.45 steht Jes 22,2 (ʿîr hōmijjāh).

[21] 1 Sam (9,1-10,16; 10,17-24a) 11,1-11 einerseits und (10,24b) 11,15 andererseits.

[22] 2 Sam 2,4; 5,3.

[23] Inwieweit die Kanaanäerstädte im Norden und im Süden des Reiches dabei bevorzugt wurden, wird gleich zu klären sein.

[24] Ein Bruder Josaphats ist gleich noch Gouverneur, V.12.

[25] Vgl. zu Abinadab (V.11) 1 Sam 16,8.

[26] Vgl. auch den Sohn Huschais, des Gegenspielers Ahitophels in 2 Sam 15ff, in V.16.

men;[27] ein anderer Sohn Zadoqs ist Schwiegersohn Salomos und Gouverneur geworden (1 Kön 4,15;[28] ein Sohn des Propheten Natan[29] fungiert als „Vertrauter des Königs"[30], ein anderer als Chef aller Gouverneure. Kurzum, die „Jerusalemer Partei", die ihren Exponenten Salomo gegen Adonja an die Macht gebracht hatte, sicherte sich alsbald in der Staatsführung die Vormachtstellung und reiche Pfründen.[31]

Salomos Verwaltungsapparat war kostspielig. Die Auflistung des Tagesbedarfs allein an Naturalien in 1 Kön 5,2f[32] läßt ahnen, wie groß sein Jerusalemer Hofstaat war und wie großzügig er ihn versorgte. Es lohnte sich schon, in der Gunst dieses Königs zu stehen! Aber wer kam für all das auf? Es gab vornehmlich drei Einnahmequellen: Tribute aus den von David unterworfenen Provinzen,[33] Einkünfte aus staatlichen Handelsmonopolen[34] und Abgaben der eigenen Staatsbürger. Wie die dritte Möglichkeit in die Tat umgesetzt wurde, zeigt die zweite der genannten Listen. Es gab zwölf Verwaltungsbezirke mit je einem Gouverneur an der Spitze, und jeder mußte einen Monat des Jahres für

---

[27] Natürlich ist V.4b Glosse.

[28] Vgl. 2 Sam 15,27.

[29] Es wird sich kaum um den Davidsohn Natan von 2 Sam 5,14 handeln.

[30] V.5: *rēʾeh hammælæk* – ein gegenüber der Davidszeit neues Amt.

[31] Leider kann man die übrigen Personen in den Beamtenlisten nicht genauer orten; doch besteht kein Anlaß zu bezweifeln, daß ihre politische Heimat dieselbe gewesen sein wird wie die ihrer Kollegen.

[32] Nach *D. B. Redford* (Studies in Relations between Palestine and Egypt during the First Millennium B.C., in: Festschr. F. V. Winnett, Toronto 1972, 141-156) handelt es sich eher um die Wochenrationen.

[33] 5,1. In 10,24f werden die Zwangsabgaben umgemünzt in jährlich überbrachte „Geschenke", mit denen man sich für die Gunst bedankte, Salomo sehen und seine Weisheit hören zu dürfen. Das ist ganz die Manier, wie Despoten im alten Orient brutale Wahrheiten dieser Art umschreiben ließen, vgl. etwa den sog. Taylor-Zylinder Sanheribs über sein Vorgehen gegen Juda im Jahr 701: „Zu … ihrer jährlichen Abgabe fügte ich ein Geschenk als Gabe für meine Herrschaft zu" (*Galling,* Textbuch 69).

[34] Vgl. 1 Kön 9,26-28; 10,22.28f. Dazu ist zu bedenken, daß von Haus aus nicht die Israeliten, sondern die Kanaanäer ein Volk von Händlern waren – und das in solchem Ausmaß, daß „Kanaanäer" mit der Zeit geradezu „zum Terminus für den ‚Händler' wurde" (*J. Hempel* in BHH II, 929).

den Unterhalt des Hofes sorgen.[35] Von größtem Interesse für unser Thema sind nun Lage und Konsistenz dieser Bezirke. Zentral gelegen und an erster Stelle genannt ist das ephraimitische Bergland. In Hufeisenform – und zwar beginnend im Westen über die Jesreelebene im Norden und hinunterreichend zum südlichen Jordantal –, darum herumgelagert sind sechs Provinzen.[36] Nördlich an dieses System, im galiläischen Bergland, schließen vier Bezirke, süd(öst)lich, in Benjamin und Gad,[37] weitere zwei an. Acht der zwölf Provinzen sind identisch mit alten israelitischen Stammesgebieten; vier dagegen bestehen nur aus Kanaanäerstädten. Das bedeutet, daß die Kanaanäer zwar wie die Israeliten abgabepflichtig waren, daß sie dabei aber eine relative Autonomie behielten; sie standen mit den Stämmen auf einer Stufe. Salomo hat also die alten Ansprüche auf Einverleibung der kanaanäischen Städte in Stammesterritorium, wie sie sich in Ri 1,18ff niedergeschlagen haben, nicht eingelöst. Was Wirtschaft und Finanzen angeht, scheint er versucht zu haben, ungeachtet seiner engen Jerusalemer Bindungen die Linie Davids fortzuführen und die beiden großen Bevölkerungsteile in einem gewissen Gleichgewicht zu halten. Auf anderen Gebieten aber zeigt sich, auf welcher Seite dabei seine Sympathien lagen. Die Verwaltungsbezirke hatten nicht nur die Versorgung des Hofstaats sicherzustellen, sondern auch Kontingente von Fron-

---

[35] 1 Kön 4,7; 5,7. Daneben galt es offenbar noch die Festungsstädte (5,8) und den Hof des Königs von Tyrus (5,23b-25) zu beliefern.

[36] *A. Alt* hat bewiesen (Israels Gaue unter Salomo, Kl.Schr. II, 76-89, bes. 78ff), daß die dritte Provinz (Socho) nicht im Süden, sondern zwischen Bezirk 2 und 4 zu suchen ist.

[37] Es ist des öfteren erwogen worden, ob nicht Juda als zwölfte Provinz in das System einbezogen war. Liest man vom Anfang des V.19 über das laut V.13 hier nicht richtige „Gilead" und den deuteronomistischen Zusatz V.19bβ hinweg weiter in V.20 („Geber ben Uri im Lande – Juda"), dann kommt man zu solch einer Lösung. Doch wird man in V.20 „Juda" von „Israel" nicht einfach trennen können, denn durch 1 Kön 5,5 ist das Nebeneinander beider als geprägte Wendung des Verfassers der Salomogeschichte ausgewiesen. Auch sachlich-politisch spricht vieles dafür, daß Juda von (David und) Salomo im Vergleich zu Nordisrael bevorzugt behandelt wurde. So wird man mit *A. Alt* (aaO. 88) der LXX-Lesung „Gad" (für „Gilead" in V.19) folgen müssen.

arbeitern für die königlichen Baumaßnahmen auszuheben.[38] Auch hiervon waren Israel und Kanaan also wieder gleichermaßen betroffen[39] – doch den Nutzen aus dieser sicher nur widerwillig geleisteten Arbeit zogen in erster Linie, wenn nicht allein, die Kanaanäerstädte. Von dem gewaltigen architektonischen Aufwand, den er in Jerusalem betrieb,[40] einmal abgesehen, baute Salomo die alten kanaanäischen Zentren Megiddo, Hazor, Geser, Bet-Horon, Baalat zu Festungsstädten aus.[41] Das hatte durchaus gute Gründe. Die strategisch günstigsten Plätze für die Anlage von Städten waren natürlich längst vor der Einwanderung Israels ausfindig gemacht worden. Vor allem aber wollte Salomo ein Streitwagencorps aufbauen, und als Standorte dafür boten sich die Vororte Kanaans an. Sie waren an den Ebenen gelegen, in denen die Wagen operieren konnten, und sie bargen – in Gestalt der alteingesessenen Adelsfamilien – ein reiches Potential von Streitwagenhaltern und -kämpfern.[42] David hatte es wohl bewußt nicht genutzt;[43] er mutete es seinen Landsleuten nicht zu, das verhaßte militärische Symbol des mühsam überwundenen Gegners sogleich in den eigenen Reihen mitführen zu müssen. Salomo nahm da keine Rücksichten. Doch damit nicht genug. Allem Anschein nach hat er den israelitischen und judä-

---

[38] Laut 5,30; 9,23 waren den *niṣṣābîm*, den Gouverneuren von 4,7ff, *śārîm* zugeordnet, die für die Fronarbeit verantwortlich waren. Zu einem von ihnen hat Salomo persönlich Jerobeam befördert (11,28); sein Zuständigkeitsbereich war der erste, zentrale Verwaltungsbezirk.

[39] Vgl. dazu *I. Mendelsohn*, On Corvée Labor in Ancient Canaan and Israel: BASOR 167 (1962) 31-35; *A. F. Rainey*, Compulsory Labour Gangs in Ancient Israel: IEJ 20 (1970) 191-202.

[40] 1 Kön 3,1; 5,27-6,38; 7,1-12; 7,13-51.

[41] 1 Kön 9,15.17f. Die in 9,19 erwähnten Vorratsstädte werden zumindest überwiegend ebenfalls kanaanäisch gewesen sein.

[42] *G. Schmitt* (Du sollst keinen Frieden schließen mit den Bewohnern des Landes [BWANT 91], Stuttgart 1970, 75) behauptet, die Oberschicht der Kanaanäerstädte sei schon während der Richterzeit aufgerieben oder aus dem Lande gedrängt worden. Vielleicht wäre dadurch die Geschichte Israels einfacher geworden!

[43] Nach dem Sieg über die Aramäer ließ er die gefangenen Streitwagenpferde lähmen, statt sie seinerseits militärisch zu nutzen (2 Sam 8,4).

ischen Heerbann mangels größerer Kriege kein einziges Mal aufgeboten. Die militärische Macht seines Reiches repräsentierten somit allein die überwiegend ausländischen Söldner mit ihrem Führer Benaja und die von Haus aus kanaanäische Streitwagentruppe – eine in israelitischen Augen sicher höchst bedenkliche Einseitigkeit.[44] Doch von Salomo her gesehen war sie völlig folgerichtig. Sein Königtum hatte sich von Anfang an nicht auf die Zustimmung der Israeliten und Judäer gestützt; warum hätte er durch die Einberufung des Volksheeres unnötige Risiken heraufbeschwören sollen?[45] Man fragt sich unwillkürlich, ob die neuen Festungsstädte nicht auch eine Warnung an die israelitischen Stämme waren, die ob der Aufwertung der Kanaanäer und der ihnen aufgebürdeten Lasten langsam unruhig wurden.[46] Mindestens einmal war denn auch eine Rebellion im Bereich der nördlichen Stämme niederzuschlagen; leider hat eine spätere Redaktion alle näheren Nachrichten darüber herausgeschnitten, so daß sich nicht mehr in Erfahrung bringen läßt, welche Rolle im damaligen Konflikt die Kanaanäerstädte gespielt haben.[47] Abschließend soll noch ein Blick auf die Religionspolitik Salomos geworfen werden. Der Verfasser des deuteronomistischen Geschichtswerkes hat die Vorstellung, daß Salomo lange Zeit ein untadelig frommer und jahwetreuer König gewesen und erst im hohen Alter von seinen vielen ausländischen Frauen zur Verehrung fremder Götter angestiftet worden sei (1 Kön 11,1-8).[48]

---

[44] „Man brauchte den gemeinen Mann nicht mehr ... Das Königtum Salomos war von der Landbevölkerung emanzipiert" (*H. Donner*, Herrschergestalten in Israel, Berlin-Heidelberg-New York 1970, 44).

[45] M. E. ist nicht zuletzt hier die Ursache für Salomos defensive Militärpolitik zu suchen. Er wird seiner Herrschaft vor allem über den genuin-israelitischen Teil der Bevölkerung nicht so sicher gewesen sein, daß er sie schweren Belastungsproben hätte aussetzen mögen.

[46] Es ist ja auffällig, daß die galiläischen, die mittelpalästinischen wie die judäischen Stammesgebiete jeweils von Norden und Süden zwischen solche Festungen eingeschlossen waren.

[47] 1 Kön 11,26-28.40. S. dazu *Dietrich*, Prophetie und Geschichte 54f.

[48] Hinter 1 Kön 11,1ff steht wieder die deuteronomistische Theorie, daß Israel beim Einmarsch in Kanaan eine tabula rasa geschaffen hat und fortan nur mehr durch die Kulte der *Nachbar*völker gefährdet war, vgl. Kap. 1.

Daß Salomo aus diplomatischen Gründen den Gottheiten auswärtiger Mächte seine Reverenz erwies, klingt durchaus glaubhaft. Daß er dies erst gegen Ende seiner Herrschaft getan habe,
ist natürlich eine apologetische Konstruktion, die den salomonischen Tempel von jedem Verdacht auf Synkretismus reinwa-
schen soll. Genau umgekehrt wird es gewesen sein: Den durch
seine Vorliebe für Kanaan schon immer synkretistisch gesonne-
nen Salomo kostete es keine sonderliche Überwindung, auch gegen die Götter fremder Nationen[49] generös zu sein. Saul, der Eiferer für Israel, suchte die Gibeoniten auszurotten, David ermöglichte ihnen die blutige Rache an Sauls Geschlecht, und Salomo begibt sich höchstselbst nach Gibeon, um auf der dortigen
„großen Höhe" – der typisch vorisraelitischen Kulteinrichtung –
ein wahrhaft fürstliches Opfer darzubringen.[50] Auf die Vertreibung des genuin-israelitischen Priesters Ebjatar und die Förde-
rung des mutmaßlichen Jebusiters Zadoq samt seinem Geschlecht wurde schon hingewiesen. Den monumentalsten Ka-
naanismus in dieser Hinsicht scheint Salomo indes mit dem Bau
des Jerusalemer Tempels bewerkstelligt zu haben. David hatte
die ur-israelitische Lade zwar nach Jerusalem verbracht, aber
doch in einem an Israels nomadische Frühzeit erinnernden und
ihr auch angemessenen Zeltheiligtum aufgestellt. Salomo hingegen bringt sie im Inneren eines steinernen Gebäudes unter, das
nach dem Muster kanaanäischer Heiligtümer entworfen[51] und
mit ausländischer Unterstützung errichtet[52] ist. Wie in den
Stadtstaaten üblich, so war auch der Jerusalemer Tempel Staats-

---

49 Dabei ist anzumerken, daß etwa Astarte (11,5), falls sie nicht erst redaktionell
   hier eingesetzt wurde, durchaus auch in Kanaan verehrt wurde.
50 1 Kön 3,4. Die deuteronomistische Redaktion hat diese Nachricht, die ihr
   Schema von dem erst im Alter untreuen Salomo stört, sicher nur um der daran
   anknüpfenden Traumgeschichte willen passieren lassen.
51 Vgl. *M. Noth*, Könige (BK IX/1) Neukirchen 1968, 111 (auch 116), der zu
   dem aus 2 Kön 6,2f zu ersehenden Grundriß des Tempels die bronzezeitlichen
   Heiligtümer von Sichem und Megiddo vergleicht. *K. Ruprecht* geht noch weiter und versucht nachzuweisen, daß es sich beim salomonischen Tempel lediglich um den Ausbau eines alten Jebusiterheiligtums gehandelt habe (Der
   Tempel von Jerusalem [BZAW 144] Berlin 1976).
52 1 Kön 5,15ff; 7,13ff.

heiligtum, der König war verantwortlich für Bau und Unterhalt, die Priester waren seine Untergebenen,[53] er selbst nahm priesterliche Funktionen wahr.[54] Zwar war der neue Tempel „Jahwes Haus", doch wie seine rechtliche Stellung, so prädestinierte ihn auch die zwangsläufige Aufnahme der Jerusalemer religiösen Traditionen zum Einfallstor kanaanäischer Religiosität in den Jahweglauben.[55] Es ist eine Ironie der Religionsgeschichte, daß im Zuge der streng-jahwistischen deuteronomischen Bewegung ausgerechnet dieses Heiligtum zum einzig legitimen Ort der Jahweverehrung avancieren sollte. Und doch: Von der Ausgangslage zum überraschenden Resultat führen nachvollziehbare geschichtliche Entwicklungen, als deren erste eben die immer zentraler werdende Rolle Jerusalems und die zunehmende Kanaanisierung von Gesellschaft und Religion im davidisch-salomonischen Reich namhaft zu machen sind.

---

[53] Wieviel unabhängiger war die Priesterschaft noch in den Tagen Sauls! Im Konfliktfall freilich konnte es dann auch zu regelrechten Verfolgungssituationen kommen, 1 Sam 22,6ff.

[54] 1 Kön 8,1ff; 9,25.

[55] Vgl. *W. H. Schmidt*, Alttestamentlicher Glaube und seine Umwelt, Neukirchen 1968, 112ff; *G. Fohrer*, Geschichte der israelitischen Religion, Berlin 1969, 117ff; *F. Stolz*, Strukturen und Figuren im Kult von Jerusalem (BZAW 118) Berlin 1970, 8ff.

5. Kapitel

Von der Reichsteilung bis Omri

DIGRESSION

Die Ereignisse bei der Thronfolge Davids und die danach zunehmende Dominanz des Jerusalemer Stadtkönigtums führten in Juda schon nach kurzer Zeit zur Anerkennung des eigentlich so ganz unisraelitischen dynastischen Prinzips. Hatte Salomo sich noch gegen eine starke landjudäische Partei durchzusetzen, so erfahren wir von derartigen Schwierigkeiten bei der Machtübernahme des Salomosohns Rehabeam nichts mehr – von dem Wunsch der Judäer, wie einst mit David aufs neue über einen Königsvertrag zu verhandeln, ganz zu schweigen. In Nordisrael dagegen war die alte Autonomie den Stämmen in noch viel frischerer Erinnerung. Rehabeam wurde gezwungen, in dem ephraimitischen Zentralort Sichem mit dem *ām*, das heißt mit den rechts- und wehrfähigen Männern Israels, zu verhandeln.[1] Streitpunkt war nicht in umfassender Weise das Kanaanäerproblem, sondern der die Menschen unmittelbar bedrückende Aspekt der Fronarbeit. Sie war ihnen zum Teil schon in vorstaatlicher Zeit von den Kanaanäerkönigen, nun aber überraschend auch von David[2] und vor allem von Salomo aufgezwungen worden. Als Rehabeam von der Politik seines Vaters nicht abzurükken versprach, sondern sie gar noch verschärfen wollte, war der Eklat da: „Zu deinen Zelten, Israel!" lautete der Ruf – eine in kanaanäischen Ohren unsinnige Parole, für die Israeliten hingegen zwar auch ein wenig anachronistisch, aber noch von tiefem Sinn-

---

[1] Dieser Begriff – vom Erzähler zuweilen in ein verächtliches *hā'am hazzæh* abgewandelt – begegnet in 1 Kön 12,3(LXX).6.7.9.10.12.13.15.16. Nur in der Rahmung (V.1.16.18.19.20) wird der staatspolitische Terminus *(kol-)jiśrā'ēl* verwendet; daß darin die Bewohner der Kanaanäerstädte nicht einbegriffen zu denken sind, bedarf kaum eines eigenen Nachweises.

[2] Vgl. das Vorkommen des Fronvogts Ado(ni)ram in der Liste 2 Sam 20,23-26.

gehalt. Man sehnte sich zurück nach der alten, von Kulturlandeinflüssen freien Zeit – und machte Jerobeam zum König.
In gewisser Weise trat, nach einer Periode jerusalemisch-judä-
ischer Bevormundung und Unterdrückung, mit Jerobeam eine
Restitution der Verhältnisse unter Saul ein.[3] Der erste König des
Nordreichs stammte aus Zereda, einem etwa 20 Kilometer west-
lich von Silo, also fern von kanaanäischen Städten liegenden ephraimitischen Ort. Wie einst Saul und ähnlich auch noch David,
wurde er von seinen Landsleuten zum König ausgerufen.[4] Bald
nach Herrschaftsantritt versuchte er, die Funktionen, die bisher
Jerusalem wahrgenommen hatte, auf den Norden zu übertragen
– doch ohne einen kanaanäischen Stadtstaat zum Zentrum seines
Reichs zu machen. Zur Residenz erhob er – nach Zwischenspie-
len in Sichem und Pnuel[5] – Tirza: eine von Israel wohl schon
vorgefundene, inzwischen aber längst in den Stamm Manasse in-
tegrierte Stadt.[6] Zu Staatsheiligtümern erhob er die zwar nicht
genuin israelitischen, aber doch längst von Israel absorbierten
Kultstätten von Betel und Dan;[7] das eine lag auf mittelpalästini-
schem, das andere auf galiläischem Stämmegebiet. Dort setzte er
(zum Entsetzen der Jerusalemer Priesteraristokratie) Priester
„von den Enden des Volkes" ein.[8] Gepflegt wird an diesen Hei-
ligtümern die echt jahwistische Tradition von der Befreiung aus

---

[3] *R. North* stilisiert ihn gar zum „idealist revolutionary" – allerdings ohne
„technical know-how", weswegen er habe scheitern müssen. Dies Bild scheint
eher von aktuellen Bezügen her entworfen als aus nachprüfbaren historischen
Fakten gewonnen (Jeroboam's Tragic Social-Justice Epic, in: Festschr. Juan
Prado, Madrid 1975, 191-214).

[4] 1 Kön 12,20.

[5] 1 Kön 12,25. Sichem war schon in der Amarnazeit Zentrum eines Flächenstaa-
tes (vgl. *A. Alt,* Kl.Schr. I, 108f) und dann wieder des kanaanäisch-israelitisch
gemischten Reiches des Abimelech, Ri 9.

[6] 1 Kön 14,17, vgl. Jos 12,24 und Num 26,33; 36,11. *A. Alt* redet von einer im
manassitischen Bereich schon vor der Staatenbildung erreichten „kanaanäisch-
-israelitische(n) Symbiose" (Der Stadtstaat Samaria, Kl.Schr. III, 258-302, hier
262).

[7] Vgl. z.B. Gen 28,10ff; 35,1ff; Jos 12,16 und Ri 18.

[8] *miqṣôt hā'am,* 1 Kön 12,31. Der Begriff *'am* hat hier noch den Klang des
verwandtschaftlichen, landsmannschaftlichen Verhältnisses.

Ägypten.[9] So sehr Jerobeam also israelitisch dachte und handelte, so sehr war er doch auch König der Kanaanäer. Es blieb ihm gar keine andere Wahl. Er konnte diesen gewichtigen Bevölkerungsteil nicht einfach ignorieren, sondern mußte ihm wenigstens ein Stück weit entgegenkommen. Eine puristische national-israelitische Politik war nach der von David bewirkten Eingliederung der kanaanäischen Städte in das Staatsgebiet kaum möglich. Dies wurde sofort nach der Reichsteilung spürbar, doch erst Omri hat, ein halbes Jahrhundert später, die volle Konsequenz daraus gezogen.

Von diesen beiden festen Punkten aus – Jerobeam und Omri – muß der Stand der kanaanäischen Frage in der Zwischenzeit erschlossen werden. Denn über die Herrschaft des Ba'scha und seines Sohnes Ela ist inhaltlich so gut wie nichts bekannt – außer daß sie mit einem Putsch eröffnet und durch einen Putsch beendet wurde.[10] Einigermaßen aufschlußreich ist immerhin der zweite dieser Umstürze, ausgeführt von Simri, dem Kommandeur über die Hälfte der Streitwagentruppe.[11] Natürlich ist nicht auszuschließen, daß ihn persönliche Motive trieben,[12] doch seine Position läßt sofort an kanaanäische Neigungen, vielleicht sogar kanaanäische Herkunft[13] denken. Sollte das richtig sein, wäre der Rückschluß erlaubt, daß die Haltung Ba'schas und seines vermutlich in seinen Spuren gehenden Sohnes Ela nicht übermäßig kanaanäerfreundlich gewesen sein dürfte. Wollte man überdies noch unterstellen, daß Ba'schas Aufruhr gegen den Jerobeam-Sohn Nadab sachlich politische Gründe im Bereich unserer Fragestellung hatte, dann ergäbe sich für Ba'scha eine

---

[9] 1 Kön 12,28; die Jerusalemer Polemik kann den positiven Anspruch nicht übertönen.

[10] 1 Kön 15,25-16,14; hiervon sind historisch von vornherein nicht verwertbar die redaktionellen Einsätze, s. *Dietrich*, Prophetie und Geschichte, im Stellenregister.

[11] 1 Kön 16,9.

[12] Vielleicht hat man auch zu bedenken, daß der dann ermordete Ela sein Heer in den Krieg ziehen ließ, selbst aber zu Hause blieb und auch noch ausschweifend lebte.

[13] Der Name scheint allerdings Jahwe-haltig zu sein, vgl. HAL s.v.

mittlere, deutlicher: eine vermittelnde Haltung. Diese Erwägungen werden in gewisser Weise dadurch bestätigt, daß das im Feldlager befindliche Heer auf die Nachricht vom Umsturz Simris sofort mit der Königserhebung des Oberkommandierenden (*śar-haṣṣābā*)[14] Omri reagierte. In diese Stellung pflegten aber von den Königen nur treueste Gefolgsleute befördert zu werden.[15] Omri betrieb später, wie wir noch sehen werden, eine Politik des Ausgleichs zwischen Israel und Kanaan – und setzte damit, wie es scheint, Ba'schas und Nadabs Werk fort.

Unsere Überlegungen beruhen auf der Voraussetzung, daß der Dualismus zwischen den beiden großen Bevölkerungsblöcken bestimmend, mindestens mitbestimmend für die häufigen Umstürze im Nordreich Israel war. A. *Alt* hat für die im Vergleich zum Südreich geringe politische Stabilität das Lebendigbleiben des charismatischen Gedankens verantwortlich gemacht und in diesem Zusammenhang vom „Reich der gottgewollten Revolutionen" gesprochen.[16] Solche traditionellen Prägungen mögen in der Tat eine Rolle gespielt haben, zumal von Saul zu Jerobeam eine direkte politische Linie führt, und Saul ja noch Charismatiker im alten Sinn war. Aber nicht die Tradition an sich ist das Entscheidende, sondern die damit verbundenen, handfesten politischen Interessen. Daß im Norden, anders als im Süden, der König grundsätzlich als absetzbar, sein Amt nicht ohne weiteres als erblich galt, daß stattdessen, wie es scheint, erst die Zustimmung des Volkes wirklich zur Herrschaft legitimierte:[17] all das ist nur Ausdruck dafür, daß im Norden das genuin-israelitische Element seine Vitalität nie gänzlich eingebüßt hat, sondern vielmehr die gesellschaftlichen und politischen Mechanismen der

---

[14] Das ist mehr als „Oberbefehlshaber des Heerbannes" (*A. Alt,* Kl.Schr. III, 266 Anm. 2); es schließt vor allem den Befehl auch über Berufssoldaten ein.

[15] An der Verläßlichkeit der höchsten Generale lag selbstverständlich sehr viel: siehe Joab, siehe Benaja.

[16] Das Königtum in den Reichen Israel und Juda, Kl.Schr. II, 116-134, spez. 122.

[17] Die von *A. Alt* gleichgewichtig daneben gestellte „Designation durch Jahwe" (ebd. 121) ist in den allermeisten Fällen ein sekundäres, deuteronomistisches Interpretament.

Stammesorganisation auch im staatlichen Bereich immer wieder durchzusetzen vermochte. Diese national-konservativen Kräfte mögen gerade durch die Präsenz eines ungemein starken kanaanäischen Widerlagers lebendig erhalten und gestählt worden sein. Salomo, vielleicht schon David, hatte die nicht-israelitischen Landesteile zu eigenen Verwaltungsbezirken zusammengefaßt und ihnen dadurch eine gewisse Autonomie belassen. Aus dem feindseligen Gegenüber war damit ein innerer Dualismus geworden, der angesichts der zahlenmäßigen, aber auch der wirtschaftlichen und politischen Gegebenheiten von keiner der beiden Seiten zu ihren Gunsten aufgelöst werden konnte. Diese Konstellation läßt Schwankungen, Wandlungen und Umbrüche im Staatsgefüge förmlich erwarten. Den Anfang damit machte in gewisser Hinsicht ja schon Jerobeam, als er, gestützt auf national-israelitische Kreise, ein vom Jerusalemer Königshaus unabhängiges Reich schuf; eine Korrektur der von ihm verfolgten pro-israelitischen Linie scheint der Usurpator Ba'scha[18] vorgenommen zu haben – vermutlich, weil das kanaanäische Element inzwischen derart einflußreich geworden war, daß es stärker an der Macht beteiligt werden mußte; Simri, hoher Offizier der Streitwagentruppe, wollte möglicherweise in einem schnellen Coup die Gewichte ganz zur kanaanäischen Seite hin verschieben, hatte aber die tatsächlichen Machtverhältnisse doch nicht richtig eingeschätzt.

Die Entwicklung, die das Südreich nach der Reichsteilung genommen hat, tritt uns recht plastisch vor Augen, wenn wir sie mit derjenigen des Nordreichs zusammensehen. Rehabeam und dann auch sein Sohn Abia dürften die Politik Salomos fortgesetzt haben. Rehabeam selbst sagt das den Nordisraeliten in Sichem mit drastischen Worten an (1 Kön 12,14), und gegen das daraufhin sich konstituierende Reich des Ephraimiten Jerobeam führen

---

[18] Es ist übrigens kaum von ungefähr, daß bei ihm von einer, auch nur nachträglichen, Akklamation des Volkes nichts verlautet. Ba'scha war eben nicht Exponent der Kreise, die eine solche ‚populistische‘ Auffassung vom Königtum hatten.

er und sein Sohn zeit ihres Lebens Krieg (1 Kön 14,30; 15,7).[19] Freilich, Abia regierte nicht lange: drei Jahre, wie es in 1 Kön 15,2 heißt, also ein ganzes und zwei angebrochene Jahre, vielleicht insgesamt nur 14 Monate. Das ist verdächtig kurz, und doch verlautet nichts von einem Putsch; Abia „legte sich zu seinen Vätern" (15,8) – eine Formel, die auf judäische Könige nur angewandt wird, wenn sie eines natürlichen Todes gestorben sind. Indes, die Formel läßt offen, *wann* der jeweilige König starb, ob er bis zu seinem Lebensende auf dem Thron blieb, oder ob er von ihm verdrängt wurde und vielleicht erst geraume Zeit später „zu seinen Vätern" ging. Im Falle Abias spricht, abgesehen von der kurzen Regierungsdauer, einiges für die zweite Möglichkeit. Aller Wahrscheinlichkeit nach war sein Nachfolger Asa nicht sein Sohn, wie es in 1 Kön 15,8 heißt, sondern sein Bruder.[20] Die Mutter beider hieß Maacha und war offenbar eine Tochter des David-Sohnes Absalom.[21] Aufhorchen läßt nun die Nachricht, Asa habe seine Mutter ihrer Würde als $g^e\hat{b}\hat{\imath}r\bar{a}h$ ent-

---

[19] Natürlich hat dieser Bruderkrieg seine Hauptursache nicht im Kanaanäerproblem, sondern in dem Selbständigkeitsbestreben der Nordstämme; aber eben dieses Wegstreben von Jerusalem war sicher auch ein Protest gegen die zunehmende Kanaanisierung in Süd und Nord.

[20] Das hier liegende Problem ist schon früh bemerkt worden: Der Chronist gab der Mutter Abias einen völlig neuen Namen (2 Chr 13,2), ein Teil der LXX-Überlieferung machte aus der Maacha von 1 Kön 15,10.13 eine Dame namens Ana, versäumte es dann aber, auch Absalom wegzuretuschieren; so wurden Abia und Asa versehentlich zu Vettern, und der Mitteilung in 15,8 war wieder Genüge getan!

[21] Die Schreibweise des Namens (*'ăbîšālôm*) steht dieser Gleichsetzung wohl nicht im Wege. Wichtiger ist, daß in 2 Sam 14,27 betont wird, Absalom habe *eine* Tochter namens Tamar gehabt; die Namensgleichheit mit seiner von Amnon geschändeten Schwester (2 Sam 13) verwundert ein wenig, doch wird man auch nicht der allzu glatten LXX[L]-Lesung Μααχα folgen wollen. Auf der anderen Seite hatte Absalom enge verwandtschaftliche Beziehungen und politische Bindungen zu den Aramäern von Geschur (2 Sam 13,37), die im AT mit denen von Maacha zuweilen zusammengestellt werden (Dtn 3,14; Jos 12,5); und Absaloms Mutter, eine Königstochter aus Geschur, hieß – Maacha (2 Sam 3,3). So ist wohl anzunehmen, daß Tamar doch noch eine Schwester bekommen, oder daß sie sich als $g^e\hat{b}\hat{\imath}r\bar{a}h$ eine Art Thronnamen beigelegt hat und sich Maacha nennen ließ.

hoben (1 Kön 15,13). Der $g^e\bar{b}\hat{i}r\bar{a}h$, der „Gebieterin", fiel bei plötzlichem Ableben des Herrschers zumindest interimistisch die Regierungsgewalt zu;[22] die Inthronisierung eines Königs bedeutete ja in aller Regel eine Auswahl aus verschiedenen Thronanwärtern, und deren verschiedene Mütter verkörperten gleichsam die verschiedenen politischen Richtungen, die um die Vorherrschaft rangen. Wenn Asa also die $g^e\bar{b}\hat{i}r\bar{a}h$ entmachtet, dann wird darin eine Änderung der bisher, von Abia und wohl schon von Rehabeam und von Salomo verfolgten politischen Ziele sichtbar.[23] Der Sturz der Königsmutter wird in Verbindung gebracht mit der Zerstörung eines von ihr angefertigten Ascherabildes. Es ist nicht auszuschließen, daß dies eine Beigabe der deuteronomistischen Redaktion ist, die den Leser untergründig bereits auf die große josianische Reform vorbereiten will. Doch in der Tendenz fügt sich diese Nachricht gut in das Bild, das sich uns von der damaligen Entwicklung abzuzeichnen beginnt: Salomo hat dem Kanaanäertum, auch der kanaanäischen Religion, Tür und Tor geöffnet; Rehabeam und Abia sind offenbar seinen Spuren gefolgt;[24] Asa jedoch führte, wie die Absetzung der Königsmutter zeigt, eine grundsätzliche Wende in der Politik herbei – warum nicht auch in der Religionspolitik?[25]

---

[22] Beispiele dafür bieten in Nordisrael Isebel nach dem Tod Jorams, 2 Kön 9,30ff, und in Juda Atalja nach dem Tod Ahasjas, 2 Kön 11,1ff. Vgl. unten Kap. 7 Anm. 12.

[23] Man kann nun überlegen, ob Asa den Abia und mit ihm gleich auch Maacha von der Macht verdrängte, oder ob Abia doch frühzeitig gestorben ist, Asa als Sohn derselben $g^e\bar{b}\hat{i}r\bar{a}h$ die Fortsetzung der bisherigen Politik erwarten ließ, dann aber, auf dem Thron, überraschend das Steuer herumwarf.

[24] Für Rehabeam könnte man darauf hinweisen, daß seine Mutter Ammoniterin war (1 Kön 14,21), daß aber Salomo seinen ausländischen Frauen zuliebe gerade auch „dem Milkom, dem Gott der Ammoniter" ein Heiligtum errichtet haben soll (1 Kön 11,7f, t.e.).

[25] Diese Sicht wird noch durch die Überlegung bestärkt, daß die deuteronomistische Redaktion in dem von ihr verarbeiteten Material irgendwelche Anhaltspunkte für ihr positives Urteil über Asa vorgefunden haben muß – so wie die Erzählung von Jehus Revolution 2 Kön 10,28-31 und die Jesajalegenden 2 Kön 18,3 nach sich zogen; im Fall Asas kommt dafür nur die Ascheranotiz in Betracht.

Treffen unsere Überlegungen zu, dann ist anzunehmen, daß mit Asa die einst von Salomo ausgeschaltete landjudäische Partei die Oberhand gewonnen hat.[26] Das wiederum würde heißen, daß sich das Ringen zwischen Kanaan und Israel/Juda im Südreich nicht in gewalttätigen Umstürzen und Dynastiebrüchen ausdrückt, sondern im vergleichsweise stillen Wechsel zwischen den auch innerhalb der Davididenfamilie vertretenen beiden politischen Hauptlagern. Offenbar ist im Süden die Davidsdynastie so fest verankert, daß auch für die Landjudäer nur Herrscher aus dem Hause Davids in Betracht kommen. Doch darf man sich durch diese (ja recht äußerliche!) Kontinuität nicht den Blick verstellen lassen für die Kämpfe, die auch hier – freilich mehr hinter den Kulissen – ausgetragen worden sind.[27] Wir werden Beispielen dafür noch begegnen.

---

[26] Das bedeutet gegenüber Nordisrael, wo mit Jerobeam ja sofort ein Antikanaanäer an die Macht gelangte, eine Phasenverschiebung um rund 20 Jahre. Sie erklärt sich aus der von David und Salomo bewirkten Dominanz Jerusalems über Juda, für die es im Norden nichts Vergleichbares gab. Ironischerweise kam fast gleichzeitig mit Asa im Norden Ba'scha auf den Thron: nach unseren Feststellungen ein Mann des Ausgleichs zwischen Kanaan und Israel. Es kann sehr wohl sein, daß der Dauerkrieg, den diese beiden Könige miteinander ausfochten (1 Kön 15,16), auch in diesem Gegensatz seine Nahrung fand.

[27] A. *Alt* stellt fest, wir hätten es im Süden „nur mit höfischen Putschen zu tun, und es ist nur zu bedauern, daß wir uns ... kein Bild davon machen können, was für ein politisches Ziel den Urhebern vorschwebte" (Das Königtum in den Reichen Israel und Juda, Kl.Schr. II, 116-134, Zitat 127). Vielleicht läßt sich doch ein Bild gewinnen, und gar nicht einmal ein undeutliches!

6. Kapitel

Die Epoche der Omriden

INFILTRATION

Das Königtum Omris ist aus einem Gewirr von Putschen und Gegenputschen hervorgegangen, das es vom Dualismus Israel-Kanaan her ein wenig aufzuhellen gilt. Erwähnt wurde bereits, daß der Ba'scha-Sohn Ela von einem Streitwagengeneral namens Simri ermordet wurde, daß aber das im Felde befindliche Heer sofort durch die Ausrufung des Oberkommandierenden Omri zum König die politische Linie Ba'schas wiederherzustellen versuchte.[1] „Ganz Israel", so heißt es, ließ von der Belagerung des philistäischen Gibbeton ab und marschierte zur Residenz Tirza, wo Simri sich verschanzt hatte. Die Stadt wurde erobert, Simri kam ums Leben.[2] Offensichtlich hatte er sich über die Machtverhältnisse getäuscht und nicht damit gerechnet, durch seinen Coup „ganz Israel" gegen sich aufzubringen. Sollte er tatsächlich Vertreter einer schroff kanaanäischen Politik gewesen sein,[3] dann wäre sein Scheitern ein Zeichen dafür, daß die Zeit für eine solche einseitige Auflösung des Dualismus noch nicht reif war. „Ganz Israel", weite kanaanäische Kreise anscheinend eingeschlossen,[4] verlangte nach Ruhe zwischen den beiden Bevölkerungsteilen. Offenbar waren die Kräfte auf beiden Seiten ausge-

---

[1] 1 Kön 16,8-16.

[2] 1 Kön 16,17f.

[3] Vgl. *F. Mildenberger*, Die vordeuteronomistische Saul-David-Überlieferung (Diss. theol. Tübingen) 1962, 38f Anm. 11.

[4] *kol-jiśrā'ēl* wird, wenn ich recht sehe, nie als Oppositum zu Kanaan gebraucht (dafür gibt es den Terminus *'am*, in 1 Kön 9,20-22 auch einmal *b'nê-jiśrā' ēl*), sondern als Gegenbegriff zum Südreich (z.B. 2 Sam 3,12; 4,1; 1 Kön 12,1.18.20) oder zur Bezeichnung des Gesamtreichs Israel unter Einschluß der Kanaanäer (z. B. 1 Kön 4,7; 5,27). Dies letztere dürfte auch in 1 Kön 16,17 der Fall sein, denn zum *ṣābā'*, mit dem Omri im Felde stand, gehörten Heerbann *und* stehendes Heer.

glichen, keine konnte die andere in raschem Zugriff unterwerfen.

Eben dies ist nicht nur Simri entgangen, sondern noch einem weiteren Gegenspieler Omris: „Damals teilte sich das Volk von Israel;[5] die eine Hälfte des Volkes stellte sich hinter Tibni ben Ginat und wollte ihn zum König machen, die andere Hälfte hinter Omri. Und das Volk, das hinter Omri stand, war stärker als das, das hinter Tibni ben Ginat stand. Und Tibni starb und Omri wurde König"[6] (1 Kön 16,21f). Auffälligerweise wiederholt sich hier ständig das Wort 'am „Volk". Als ursprünglicher Verwandtschaftsbegriff dürfte es soviel meinen wie „Kern-Israel", also die Nachkommen der alten israelitischen Stämme.[7] Die eine Hälfte davon unterstützt Omri. Auch in 1 Kön 16,16, in Zusammenhang mit dem Putsch Simris und seiner Niederschlagung, ist nicht nur von „ganz Israel" die Rede, sondern daneben vom 'am, der Omri auf den Schild hebt; hier wird der Heerbann gemeint sein, Männer aus den rein-israelitischen Siedlungsgebieten. Doch nun erfährt man, daß es neben diesen auch Kreise in Israel (im engeren Sinne!) gegeben hat, die nicht Omri favorisierten, sondern Tibni. Die Formulierungen sind im einzelnen recht unpräzis und änigmatisch: Worin unterschieden sich die beiden „Volkshälften", wodurch wurde das Ringen schließlich entschieden, woran starb Tibni,[8] wann genau wurde Omri König? Trotz solcher Unschärfen des Textes sei eine Deutung der Vorgänge gewagt. So wie Simri damals den radikal kanaanäischen Flügel repräsentiert haben dürfte, so repräsentiert Tibni nun den rein israelitischen. Die gemäßigten Flügel beider Parteien favorisieren Omri, einen Mann, der die von Ba'scha und Ela betriebene Politik des Ausgleichs fortzuführen versprach. Omri gewann die Oberhand, während sich seine Konkurrenten gegenseitig blok-

---

[5] *laḥēṣî* lasse ich mit LXX weg.

[6] LXX hat hier zusätzlich „nach Tibni"; danach wäre Tibni tatsächlich König, Omri sein Nachfolger gewesen. Doch diese Konstruktion verträgt sich nicht mit dem aus 1 Kön 16,15-18 sich ergebenden Ablauf der Ereignisse.

[7] Vgl. auch die Benennung des Heerbanns mit 'am.

[8] Nach *J. M. Miller* (So Tibni died: VT 18, 1968, 392-394) meint *môt* hier gar nicht den physischen Tod, sondern die Absetzung von einer Machtstellung.

kierten. So bestätigt sich auch von dieser Seite die These, daß Omri ein Mann der Mitte war.

Die einzige, uns überlieferte größere Maßnahme aus seiner Regierungszeit beweist, daß Omri nicht nur anfangs, gar nur aus taktischen Gründen, sondern auch späterhin die Mitte zwischen Israel und Kanaan zu halten bemüht war. Nach sechs Jahren Herrschaft in Tirza, der schon von Jerobeam ausgewählten und dann auch von seinen mehr zum Kanaanäertum neigenden Nachfolgern beibehaltenen und mit der Zeit prachtvoll ausgebauten Königsstadt,[9] gründete Omri eine neue Hauptstadt: Samaria. Nach A. *Alt*, der sich ausführlich zur Sache geäußert hat,[10] ist Samaria von vornherein als eine Art kanaanäischer Stadtstaat gedacht gewesen: mit staatsrechtlichem Sonderstatus – wie im Süden Jerusalem –, rein kanaanäischer Bevölkerung und rein kanaanäischem Kultus. Meines Erachtens ist das in allen drei Punkten eine Überzeichnung.[11] Vielmehr darum ging es Omri, auf bisher unbebautem, also gegenüber dem israelitisch-kanaa-

---

[9] Tirza galt als Inbegriff der Schönheit, s. Hld 6,4.

[10] Der Stadtstaat Samaria, Kl.Schr. III, 258-302.

[11] *Staatsrechtlich* scheint mir fraglich, ob die Tatsache des Landkaufs die Behauptung rechtfertigt, die Gegend von Samaria sei „seit alters in den Geltungsbereich der kanaanäischen Landeskultur einbezogen" gewesen (263f), wo es doch immerhin weit und breit keine Kanaanäerstadt gab; auch daß die Dynastiebildung der Omriden „nur von dem Stadtstaat Samaria ausgegangen sein" kann (279), während die Israeliten weiterhin charismatisch dachten, stimmt so nicht – siehe Sauls Sohn Eschbaal, Jerobeams Sohn Nadab, Ba'schas Sohn Ela und endlich die gar nicht kanaanäische Jehu-Dynastie; schließlich kann man Jehus Briefwechsel mit den Ältesten Samarias 2 Kön 10,1ff auch anders als mit einer staatsrechtlichen Eigenständigkeit der Stadt (285) erklären. *Bevölkerungspolitisch* ist gänzlich unbewiesen, daß Omri „vorzugsweise oder sogar ausschließlich nur Kanaanäer nach Samaria heranzog" (269; vgl. hiergegen auch G. *Fohrer*, Elia, Zürich ²1968, 76). *Religionspolitisch* schließlich ist es durchaus unsicher, ob die Omriden tatsächlich den Jahwekult von Samaria fernhielten, um der Stadt „in kultischer Beziehung ein Eigenleben zu verleihen" (274); Jahwe kann auch hier, Baal auch anderswo verehrt worden sein. (Nach G. *Wallis*, Jerusalem und Samaria als Königsstädte: VT 26, 1976, 480-496, bes. 492, wäre zunächst keiner der beiden Götter ‚zugelassen' gewesen.)

näischen Dualismus gerade neutralem Boden[12] eine Residenz zu errichten, von der aus er souverän die Geschicke des Gesamtstaats lenken konnte. David wollte einst dem Streit zwischen Israel und Juda enthoben sein – und ließ sich in einem kanaanäischen Stadtstaat nieder. Omri wollte dem Streit zwischen Israel und Kanaan aus dem Wege gehen – und baute sich eine neue Hauptstadt.[13]

Versuchte Omri also eine Linie des Kompromisses einzuhalten, so bleibt doch zu bedenken, daß er sich ein städtisches Zentrum schuf und damit dem städtisch-kanaanäischen Element faktisch ein neues Betätigungsfeld eröffnete. Wahrscheinlich konnte er gar nicht anders handeln. Seit Saul hatten sich die Zeiten geändert. Der Mann an der Spitze war nicht mehr von Haus aus Bauer, und er führte nicht Bauernhaufen in den Krieg; er verfügte über eine wohlorganisierte Verwaltung und eine in verschiedene Waffengattungen und Befehlsränge sich gliedernde Armee. In alledem und noch in manchem anderen hatte man von den kanaanäischen Königtümern gelernt, lernen müssen; denn ein israelitisches Königtum – das war, strenggenommen, ein Widerspruch in sich selbst. Israel war spröde gegen alle Hierarchie, die monarchische Staatsform aber war notwendig hierarchisch. So war es im Grunde unvermeidlich, daß Omri die Führungsschicht seines Reiches in der Kapitale konzentrierte, aber es war doch eigentlich unisraelitisch.[14] Hinzu kommt, daß nach wie vor die Kanaa-

---

[12] So – ein wenig inkonsequent – auch A. Alt, aaO. 267.

[13] Die These von der neutralen Rolle der Stadt macht die starke Aufwertung Jesreels zum israelitischen Kontrapunkt des angeblich kanaanäischen Samaria (A. Alt, aaO. 265.268) unnötig. Wahrscheinlich handelt es sich lediglich um eine Art Landsitz, den der sonst in Tirza regierende Ba'scha im Bereich seines Heimatstammes Issachar angelegt hat (so die ansprechende Vermutung Alts, aaO. 260). Ferner werden auf diesem Wege die angestrengten Bemühungen überflüssig, das Weiterregieren der Jehu-Dynastie in Samaria zu erklären (A. Alt, aaO. 293).

[14] Es sei daran erinnert, daß sowohl die „kleinen Richter" als auch die „Retter" des Richterbuches jeweils ganz verschiedenen Stämmen angehörten. Seither werden sich freilich die Israeliten an das Vorhandensein eines Königs und seines Königssitzes weitgehend gewöhnt haben – wenn die Aversion gegen die Metropole auch in Worten wie Am 4,1ff; 6,1ff; Mi 1,5f; 3,9ff noch deutlich genug zum Ausdruck kommt.

näerstädte ein reichhaltiges Reservoir an geschulten Kräften für Wirtschaft, Verwaltung und Militär bereithielten, daß sich also auch um einen König, der um Ausgleich bemüht war, vorwiegend Kanaanäer gesammelt haben werden. So war die Entwicklung von Saul über David zu Salomo zu erklären, so erklärt sich auch die Entwicklung von Jerobeam über Ba'scha und Omri zu – Ahab. Das kanaanäische Prinzip war, sobald sich ihm eine Gesellschaft der Struktur und der Herrschaftsform nach öffnete, fast unaufhaltsam expansiv, ja auch überlegen.

Ahab dürfte kaum die Absicht gehabt haben, eine völlig andere Politik zu treiben als sein Vater. Wenn die Überlieferung mit seinem Namen, teilweise wohl zu Recht, eine weitgehende Kanaanisierung Israels verbindet, dann zeigt das zunächst nur, daß der Dualismus zwischen den beiden Gesellschaftssystemen, der eigentlich in der Schwebe gehalten werden sollte, ständig zur Verlagerung der Gewichte nach dem kanaanäischen Pol hin drängte. Insofern ist das äußerst scharfe deuteronomistische Urteil über Ahab (1 Kön 16,30) ungerecht[15] – davon, daß dieser Mann politisch offenbar Bedeutendes geleistet hat, noch ganz abgesehen. Was Ahab am schwersten angelastet wird, ist seine mangelnde Orthodoxie in kultischen Dingen. Wie allen israelitischen Königen, so wirft die deuteronomistische Redaktion auch ihm die Beibehaltung der Reichsheiligtümer in Betel und Dan vor (16,31a). Gerade daran aber wird sichtbar, daß er beileibe nicht einseitig prokanaanäisch eingestellt war; denn dort wurde ja eindeutig Jahwe verehrt.[16] Daneben aber war er zuvorkommend auch gegen den kanaanäischen Gott Baal und errichtete ihm gar in Samaria ein Heiligtum (16,31b.32). Angeblich hat ihn dazu seine Frau Isebel, Tochter des Königs von Sidon, veranlaßt. Doch ähnlich wie bei Salomo, so ist auch hier davon auszugehen, daß sowohl die Heirat einer solchen Frau als auch die Toleranz gegenüber ihrer angestammten Religion tiefe politische Hinter-

---

[15] *T. Ishida* (IEJ 25, 1975, 135-137) zeigt an der Bezeichnung „Haus Ahabs" (korrekt wäre „Haus Omris") auf, daß die Polemik speziell gegen diesen König schon sehr früh, nicht erst zur Exilszeit, einsetzte.

[16] Vgl. 1 Kön 12,28.

gründe hatte. Der israelitischen Bevölkerung standen seit langem zwei vom Staat geförderte Kultstätten zur Verfügung. War es da nicht ein Gebot der Gerechtigkeit, endlich auch den Kanaanäern ein kultisches Zentrum zuzugestehen? Und da sich die kanaanäische Führungsschicht ohnehin in der neuen Hauptstadt sammelte, lag es nahe, auch den neuen Tempel hier, in Samaria, zu bauen. Zwar konnte dadurch der Eindruck entstehen, das Königshaus favorisiere jetzt die kanaanäische Religion – was zumindest für Isebel auch zutraf –, doch hatte andererseits die räumliche Trennung zwischen Jahwe- und Baalkult den Vorzug, daß so die Puristen auf beiden Seiten zufriedengestellt und mögliche Konflikte zwischen ihnen vermieden werden konnten: im Rahmen einer auf Ausgleich bedachten Politik sicher ein kluger Schachzug.

Objektiv hat Omri und hat noch mehr Ahab die Position der Kanaanäer gestärkt, und es verwundert nicht, daß sich in den streng israelitischen Kreisen alsbald Protest regte. Personifiziert ist dieser Protest in der Gestalt Elias. Er erscheint als Widerpart des Königshauses nicht nur im Zusammenhang mit der zunehmenden Kanaanisierung des religiösen Lebens, die anscheinend bis hin zu regelrechten Verfolgungen der jahwetreuen Kreise führte,[17] sondern auch in einem Fall, da israelitische Rechtsnormen zugunsten kanaanäischer Vorstellungen vom Recht des Königs durchbrochen wurden: Nabot, der seinen Weinberg in Jesreel nicht an Ahab veräußern will und sich dafür auf das israelitische Bodenrecht beruft,[18] wird auf Veranlassung Isebels per Justizmord aus dem Weg geräumt. Ihr Denken verrät sich in der Frage an den über Nabots Verhalten ärgerlichen, aber im übrigen ratlosen Ahab: „Übst du denn noch die Königsherrschaft aus in Israel?"[19] Hier wird schlaglichtartig klar, welch einen Einbruch

---

[17] 1 Kön 18,13; 19,2f.10; umgekehrt jedoch 1 Kön 18,40.
[18] 1 Kön 21,3. Vgl. dazu K. *Baltzer*, Naboths Weinberg (1 Kön 21). Der Konflikt zwischen israelitischem und kanaanäischem Bodenrecht: WuD NF 8 (1965) 73ff; P. *Welten*, Naboths Weinberg (1. Könige 21): EvTh 33 (1973) 18-32.
[19] 21,7.

allein schon die Institution des Königtums für die Gesellschaftsordnung Altisraels bedeutete. Es gelang Isebel anscheinend ohne
große Mühe, ihre Auffassung von königlicher Machtvollkom-
menheit bei den Ältesten von Jesreel durchzusetzen;[20] das ist um
so erschreckender, als es sich hier nicht um eine Kanaanäerstadt,
sondern um eine israelitische Gründung handelt.[21]

Elia stammt aus Tisbe in Gilead. Dort, in dem am wenigsten kanaanäisch beeinflußten Ostjordanland, scheint sich die genuin
israelitische Lebensweise am reinsten erhalten zu haben.[22] Von
dort her und speziell von diesem Mann drohte der politischen
Konzeption Ahabs Gefahr. Der König wollte ein schiedlich-
friedliches Neben- und Miteinander von Israel und Kanaan,
Jahwe und Baal. Der Prophet, dessen Programm schon in seinem Namen („Jahwe ist Gott!") angezeigt war, proklamierte die
Alternative: Jahwe *oder* Baal![23] Ahab wußte, daß diese Parole
nicht nur für das religiöse, sondern für das gesamte politische
Leben von größter Brisanz war. Er ließ dem Propheten nachstel-
len, und als dieser ihm nach langer, vergeblicher Suche plötzlich
freiwillig gegenübertritt, empfängt er ihn mit den Worten: „Bist
du es, Verderber Israels?" (1 Kön 18,17). Der Vorwurf ist durch
und durch politischer Natur. Elias Rigorismus ist das sicherste
Mittel, den inneren Frieden in „Israel" zu stören und die zwischen beiden großen Bevölkerungsblöcken bestehende Spannung zu gewalttätiger Entladung zu bringen.[24] Elias Replik ist
von gleichem Ernst: „Nicht ich verderbe Israel, sondern du und

---

[20] Es genügte anscheinend, die zum Justizmord auffordernden Briefe mit dem
königlichen Siegel zu versehen, um die Repräsentanten gefügig zu machen
(21,8).

[21] Jesreel begegnet in keiner der Aufzählungen von bei der Landnahme vorge-
fundenen Städten, s. vor allem Ri 1,27 und, positiv, 2 Sam 2,9.

[22] Vgl. die entsprechende Überlegung A. *Alt*s zum Sturz der am Ende ebenfalls
kanaanisierten Jehu-Dynastie durch Ostjordanier, Kl.Schr. III, 299.

[23] 1 Kön 18,21.

[24] Daß es nicht etwa um die lange Dürreperiode geht, die nach 17,1 Elia herbei-
geführt hat und die an sich durchaus als „Verderben" für Israel bezeichnet
werden könnte, zeigt Elias Antwort: Er gibt Ahabs Vorwurf mit dem gleichen
Ausdruck (ʿkr) zurück – und der König hat die Trockenheit gewiß nicht aus-
gelöst.

das Haus deines Vaters!" (V.18a)[25] Hier ist „Israel" wohl weniger in staatsrechtlichem als in ethnischem Sinn gemeint: Omris und Ahabs Politik des Ausgleichs zwischen den Fronten wirkt sich für die israelitische Seite, die für sich ja einen Vorrang in Anspruch nimmt und auch weitgehend ausgeübt hat, als Benachteiligung und Überfremdung aus; insofern wird durch die wachsende Baalisierung und Kanaanisierung tatsächlich die Substanz, ja die Existenz „Israels" zerstört[26]. Unversöhnlich schroff stehen sich die beiden Auffassungen von dem, was Israel und was für Israel gut und nötig sei, gegenüber. Die entschiedene Opposition Elias und der hinter ihm stehenden Kreise macht die Position der Omriden, die als eine vermittelnd-neutrale gedacht war, zu einer parteiischen, entlarvt sie als in der Tendenz pro-kanaanäisch.

Daß sich der Konflikt nicht sofort in einem zerstörerischen Ausbruch entlud, lag wohl einerseits daran, daß sich der Widerstand erst auf breiter Basis formieren mußte, andererseits daran, daß die Politik der Omriden durchaus den Kräfteverhältnissen im Lande entsprach und in vielem außerordentlich erfolgreich war. Das läßt sich allein schon an der für Nordisrael ungewöhnlichen Langlebigkeit dieser Dynastie ablesen. Anscheinend gab es zu der von ihr verfolgten Politik auf lange Zeit keine ernsthafte und praktikable Alternative. Ihre starke Position spiegelt sich aber vor allem in der eindrucksvollen außenpolitischen Rolle, die Israel damals gespielt hat. Seit Salomos Tagen und bis in die Zeit Jerobeams II. stellte Aram-Damaskus eine ständige Bedrohung Nordisraels dar. Immer wieder liest man von Auseinandersetzungen mit diesem Erzfeind.[27] Nur in der Epoche der Omriden

---

[25] V.18b ist sicher deuteronomistischer Zusatz. Das ergibt sich aus der inneren Spannung zu V.18a: Wäre dort wirklich auf die synkretistische Religionspolitik abgehoben, dann dürfte doch wohl Isebel nicht fehlen; sie aber gehörte nicht zum „Haus Omris", sondern nur zu dem Ahabs. Außerdem ist der Baalstempel in Samaria nicht von Omri, sondern erst von Ahab erbaut worden.

[26] Der Wortstamm ʿkr hat übrigens auch in Jos 6,18; 7,25, vor allem aber in 1 Sam 14,29 fundamentale politische, nicht so sehr religiöse Bedeutung.

[27] 1 Kön 11,23-25; 15,17-22; 20; 22; 2 Kön 6,24ff; 8,7ff; 13,7.22 u.ö.

herrschte Ruhe an dieser Front. Das ist kein Zeichen von Schwäche, sondern von politischem Weitblick. Denn im Rücken Arams war ein neuer, höchst gefährlicher Feind aufgekommen, den man nur im Bunde mit Aram abwehren konnte oder überhaupt nicht: das neuassyrische Reich. Nicht aus der Bibel, aber aus einem Kriegsbericht Salmanassers III. erfährt man, daß in der Schlacht von Qarqar (853 v. Chr.) Ahab das nach den Aramäern größte Kontingent in der antiassyrischen Koalition führte.[28] Der Einsatz lohnte sich, die Assyrer errangen allenfalls einen Pyrrhussieg, der Impetus ihrer Expansion nach Westen war vorerst gebrochen. Es ist bezeichnend, daß die Jehu-Dynastie – in diesem wie in fast allen anderen Punkten in scharfem Kontrast zu den Omriden – sich wieder verstärkt auf Kämpfe mit Aram einließ[29] und zumindest zeitweise Assur Tribut zahlte;[30] damit half sie auf lange Sicht den Einbruch der assyrischen Flut in Palästina vorbereiten. Ein ähnlicher außenpolitischer Gegensatz zeigt sich in dem Verhältnis zu dem östlichen Anrainer Moab. In der Omridenzeit war er fest in israelitischer Hand, nach Jehus Umsturz gewann er seine Selbständigkeit zurück.[31] Vielleicht darf man die Verallgemeinerung wagen, daß die Außenpolitik der Omriden, gemessen an derjenigen der Jehu-Dynastie, gar nicht provinziell, sondern weltoffen, weitsichtig und dabei erfolgreich war. Man fühlt sich ein wenig an das Gegenüber der saulidischen zur davidisch-salomonischen Ära erinnert.

In der Tat erlebte zur Omridenzeit auch der Süden eine Art Renaissance salomonischer Politik, wobei freilich die Abhängigkeitsverhältnisse diesmal umgekehrt waren. Noch die späte deu-

---

[28] *Galling*, Textbuch 50. *M. Elat* (The Campaigns of Shalmaneser III against Aram and Israel: IEJ 25, 1975, 25-35) zeigt auf, daß Qarqar kein Einzelfall war – und daß sich das Blatt erst durch die inneren Umstürze in Aram und Nordisrael gewendet hat.

[29] 2 Kön 10,32f; 13,7.14-19.22.24f; 14,25.28.

[30] *Galling*, Textbuch 51. Ironischerweise wird das Israel Jehus hier von assyrischer Seite *Bīt-Humrī* genannt: ungewollter Ausdruck des Respekts vor den Leistungen der Omriden.

[31] Vgl. 2 Kön 3; 13,20 und die Mescha-Inschrift (*Galling*, Textbuch 51-53, vor allem Z. 5ff).

teronomistische Redaktion vermerkt voll Ingrimm, daß damals in Juda nicht nur die „Höhen" stehenblieben, die angeblich Salomo inauguriert hatte, sondern daß die Könige Joram und Ahasja – horribile dictu – auf den Wegen des Hauses Ahabs wandelten;[32] ein schlimmerer Vorwurf läßt sich kaum denken, und er ist nicht einmal aus der Luft gegriffen. Zu seiner Begründung wird erwähnt, daß damals verwandtschaftliche Beziehungen zwischen beiden Königshäusern bestanden: Atalja, Tochter Ahabs, war Gemahlin Jorams und Mutter Ahasjas. Doch ist das natürlich nur die Oberfläche, oder, wenn man so will, die Spitze des Eisbergs. Heiraten sind in Monarchien hochpolitische Akte, und zumal das Amt der Königsmutter war in Juda Indikator für die jeweils vom Thron verfolgte politische Richtung. Demnach verlief die politische Entwicklung in Israel und Juda zur Zeit der Omriden in einem fast störungsfreien Gleichtakt – wieder ein Beweis für das politische Format von Omri und Ahab. Schon Josaphat, der Nachfolger des landjudäisch orientierten, im Alter aber „krank" gewordenen, also wohl an der aktiven Machtausübung verhinderten Königs Asa (1 Kön 15,23), „hatte Frieden mit dem König von Israel"[33]; bei seiner 35jährigen Regierungszeit heißt das: mit allen regierenden Omriden. Gewiß war er es auch, der für die Heirat seines Sohnes Joram mit einer Ahabtochter sorgte. Und nach verschiedenen, allerdings kaum sicher datierbaren legendarischen Überlieferungen hat er den israelitischen Königen förmlich Heeresfolge geleistet.[34] Nicht nur an der langen Dauer seiner Herrschaft verrät sich der Erfolg seiner Politik. Es gibt eine Nachricht, nach der er Edom sicher im Griff hatte und so den Versuch unternehmen konnte, wie einst Salomo

---

[32] 2 Kön 8,18.27.

[33] 1 Kön 22,45. Der deuteronomistische Geschichtsschreiber sieht Josaphat freilich auf den Wegen Asas wandeln (22,43). Doch dies ist eher ein religiöses als ein politisches Urteil, und sein Sachgehalt ist ungewiß.

[34] 2 Kön 3 und 1 Kön 22, wobei vermutlich der zweite Text eine spätere Zeit widerspiegelt und in der Konkretisierung auf Josaphat dem ersten redaktionell nachgebildet ist. Daß die Waffenbrüderschaft sehr wohl ihre Grenzen hatte, zeigt einerseits 1 Kön 22,50, andererseits das Fehlen eines judäischen Kontingents in Qarqar.

von Ezeon-Geber aus mit sogenannten Tarsisschiffen Welthandel zu betreiben.[35] All diese politischen und wirtschaftlichen Rahmenbedingungen lassen fast mit Sicherheit darauf schließen, daß Josaphat ein Vertreter der jerusalemisch-kanaanäischen Linie innerhalb des davidischen Königshauses war. Bei seinen Nachfolgern Joram und Ahasja kann daran wegen ihrer engen Bindungen an die Omridynastie von vornherein kein Zweifel sein.

Weder vorher noch nachher hat es eine Epoche gegeben, in welcher der Dualismus Israel-Kanaan im Norden und im Süden zu derart parallel laufenden Entwicklungen geführt hat wie in der Omridenzeit.[36] Auch, als endlich das Nordreich unter Joram in neue, schwere Auseinandersetzungen mit den Aramäern verwickelt wurde, hielt ihm das Juda des Königs Ahasja die Treue;[37] und als Jehus Umsturz das gesamte nordisraelitische Königsgeschlecht hinwegfegte, da fielen dem Wüten des Usurpators auch Ahasja und ein Großteil seiner Familie zum Opfer.[38] Die Königsmutter Atalja versuchte, die alte Politik fortzusetzen, und räumte zu diesem Zweck mit der Gegenfraktion innerhalb der Davidsdynastie auf. Doch mit nur geringer zeitlicher Verschiebung wurde der „omridischen" Politik des Ausgleichs zwischen den beiden großen Bevölkerungsblöcken und damit der faktischen Aufwertung des Kanaanäertums auch im Südreich ein Ende gemacht. Wir kommen damit zu einer neuen Epoche der Geschichte Israels und auch zu einem neuen Abschnitt unseres speziellen Themas.

---

[35] 1 Kön 22,48, vgl. 1 Kön 9,26; 10,22. Welch ein Renommierobjekt solche Schiffe waren und mit welch gemischten Gefühlen sie von jahwetreuen Kreisen beobachtet wurden, zeigt Jes 2,16.

[36] Man möchte es darum für mehr als einen Zufall halten, daß gerade in dieser Zeit Überschneidungen von Namen zwischen den beiden Königsreihen auftreten.

[37] 2 Kön 8,28.

[38] 2 Kön 9f, bes. 9,27f.

7. Kapitel

Das Zeitalter der Jehu-Dynastie

REAKTION

Das Nordreich scheint sich schon vor dem Losschlagen Jehus in einem Zustand der Gärung befunden zu haben.[1] Von Elias Opposition gegen die religiöse und gesellschaftliche Assimilierung Israels an Kanaan unter Ahab war schon die Rede. Doch Elia stand nicht allein. Neben und auch in gewisser Bindung zu ihm bildeten sich prophetische Gruppen und Kreise, deren bedeutendster wohl der um Elisa war. In 2 Kön 4,38 ist das Leben dieser Konventikel geschildert: am unteren Jordan,[2] fast mönchisch abgekehrt vom eigentlichen gesellschaftlichen Leben, in äußerst bescheidenen materiellen Verhältnissen. Man kann hier soziologisch durchaus von Randsiedlern sprechen.[3] Solche Gruppen pflegen ein sicheres Indiz dafür zu sein, daß eine Gesellschaft soziale Unebenheiten aufweist, daß sie nicht mehr die Gesamtheit ihrer Mitglieder zu integrieren vermag. Die israelitischen Prophetenzirkel beweisen, daß die vertikal gegliederte kanaanäische Gesellschaftsordnung inzwischen auf das ursprünglich vorwiegend horizontal strukturierte Israel übergegriffen hat; es gibt jetzt auch hier deutlich ein Oben und ein Unten, und bestimmte Kreise werden gar aus der Gemeinschaft hinausgedrängt, oder fühlen sich zumindest hinausgedrängt.

---

[1] *K.-H. Bernhardt* (Revolutionäre Volksbewegungen im vorhellenistischen Syrien und Palästina, in: *H. Sellnow* [Hrsg.], Die Rolle der Volksmassen in der Geschichte der vorkapitalistischen Gesellschaftsformationen, Berlin 1975, 65-78) sucht nachzuweisen, daß Jehus Revolution nicht in breiterer Volksschichten verankert war (73f); dieses Urteil trifft m. E. nur die Oberfläche des Geschehens.

[2] D. h. fern von allen kanaanäischen Zentren!

[3] Ihr kommuneartiges Zusammenleben könnte man als Ersatz für die verlorengegangene Sippengemeinschaft deuten.

Ein Schlaglicht auf die damals sich ausbreitenden sozio-ökonomischen Zustände wirft die Erzählung 2 Kön 4,1-7. Elisa hilft einer Witwe, deren beide Söhne vom Geschick der Sklaverei bedroht sind. Der Vater hat bei seinem Tod Schulden hinterlassen, und der Gläubiger besteht auf seinem Recht, sich an der Arbeitskraft der Hinterbliebenen schadlos zu halten. Solch ein Recht aber ist – ähnlich wie das kanaanäische Bodenrecht, dem Nabot sich nicht hatte unterwerfen wollen – einer von der Sippenordnung herkommenden Gemeinschaft von Grund auf wesensfremd.[4] Die Zerklüftung der Gesellschaft, in der frühen Königszeit einsetzend mit dem Gegenüber zwischen dem Volk und dem König mitsamt seiner Umgebung, hat sich ausgeweitet auf das Gegenüber verschiedener Schichten innerhalb des Volkes. Die Kanaanäer waren das seit jeher gewohnt, haben sogar wohl ihren Nutzen daraus gezogen, daß Israel sich ihren Gesetzen anzupassen begann und dadurch der „Markt" sich erweiterte; bei den Israeliten aber mußte diese Entwicklung über kurz oder lang zu Beunruhigung und Unruhe führen.

Eine Bestätigung dafür liefert die Beteiligung nicht nur der Elisa-Leute,[5] sondern auch der Rekabiter an Jehus Revolution.[6] Es war dies ein Verband, der sich – wenn man so will: erzkonservativ und anachronistisch – allen Kulturlandeinflüssen zu entziehen und die althergebrachte, nomadische Lebensweise zu bewahren suchte:[7] ein permanenter Widerspruch gegen jede Kanaanisierung und das personifizierte schlechte Gewissen bei Is-

---

[4] Vgl. die einschlägigen Bestimmungen des – durchaus das Leben im Kulturland voraussetzenden! – Bundesbuchs, Ex 22,21ff.

[5] 2 Kön 9,1-6 (die Fortsetzung in V.7-10 ist sekundär, s. *Dietrich,* Prophetie und Geschichte, 47f). Weniger sicher ist das Mitwirken auch Elias, vgl. 1 Kön 19,16f; 2 Kön 9,25f.

[6] 2 Kön 10,15f. Dazu die relativ ausführliche, mitunter freilich etwas phantasievolle Darstellung von *M. Y. Ben-gavriêl,* Das nomadische Ideal in der Bibel: Stimmen der Zeit 88 (1962/63) 253-263. Heftigen Widerspruch gegen das geläufige Bild von den Rekabitern hat *F. S. Frick* eingelegt (JBL 90, 1971, 279-287): Mit nomadischer Lebensweise hätten sie nichts im Sinn gehabt, sie seien vielmehr „chariot makers" gewesen (282 – eine sicher zu einfache Namensetymologie!).

[7] Vgl. BHH III, 1559, und die dort aufgeführten Belege.

raels Anpassung an Kanaan.[8] Die Verhältnisse der Omridenzeit müssen die Rekabiter derart gereizt und militant gemacht haben, daß sie sich von Jehu als Symbol, wenn nicht als Speerspitze bei seinem Kampf gegen das baalverseuchte Samaria gebrauchen ließen.

In diesem Zusammenhang ist hervorzuheben, daß Jehu radikal und ausnahmslos jedermann niedermachen ließ, der sich zu dem von ihm einberufenen, großen Festgottesdienst im Baaltempel von Samaria eingefunden hatte. Man fragt sich erstaunt, wieso er so sicher sein konnte, in allen Baalsdienern politische Gegner vor sich zu haben, und zwar so erbitterte Gegner, daß er sie gleich meinte liquidieren zu müssen.[9] Die einzig mögliche Erklärung ist, daß im Reiche Israel eine extreme Polarisierung zwischen dem kanaanäischen und dem israelitischen Prinzip stattgefunden hat; zwei scharf voneinander abgegrenzte Lager stehen sich unversöhnlich gegenüber, und aufs Panier haben sie sich jeweils den Namen des hüben oder drüben verehrten Gottes geheftet. Wer sich zu Baal bekennt, steht für die israelitische Partei auf der Seite des Feindes. Das heißt, die von den Omriden betriebene Politik des Ausgleichs und des ausgewogenen Nebeneinanders war nicht nur gescheitert, sie hatte zu eben dem Ergebnis geführt, das mit ihrer Hilfe hatte vermieden werden sollen: der Spaltung des Staatsvolks in zwei feindliche Lager. Bewirkt wurde dies offenbar durch die faktische Favorisierung des ka-

---

[8] Auch im Südreich spielten solche Gruppen eine nicht zu unterschätzende Rolle, s. zuletzt W. *Dietrich*, „Wo ist dein Bruder?" Zu Tradition und Intention von Genesis 4, in: Festschr. W. Zimmerli, Göttingen 1977, 94-111 (über die Keniter). – Es kann hier nicht eingewandt werden, daß es sich dabei um Verbände außerhalb Israels gehandelt habe; im Gegenteil, sie waren sozusagen israelitischer als die Israeliten – und eben deswegen nicht voll integriert.

[9] Die Frage würde etwas abgeschwächt, wenn ursprünglich mit den ʿobᵉdê bzw. ʿabdê habbaʿal (2 Kön 10,19b.22.23) nur die Propheten und Priester Baals in Samaria gemeint gewesen sein sollten, und die Ausweitung auf alle Baalsverehrer in Israel (10,21.28) auf einer späteren überlieferungsgeschichtlichen Stufe erfolgt wäre. In diesem Fall hätte Jehu nur die Bediensteten des omridischen Staatsheiligtums als Todfeinde betrachtet. Aber auch das noch wäre auffallend und bezeichnend genug – abgesehen davon, daß eben der vorliegende Text pauschaler formuliert.

naanäischen Elements, wie sie spätestens seit Ahab und Isebel offenkundig wurde. Sie war vermutlich nur als Gegengewicht zur bisherigen Dominanz Israels gedacht, doch war sie allem Anschein nach nicht durch die tatsächlichen Kräfteverhältnisse gedeckt. Das Rad der Geschichte war etwas zu weit nach vorn bewegt worden – und nun rollte es über die, die es bewegt hatten, zurück: und sicherlich wieder etwas zu weit!

Es wurde schon erwähnt, daß gegen Ende der Omridenzeit die Entwicklung in Juda genau parallel zu der in Israel verlief. Könige der „Jerusalemer Richtung" sorgten für die Akkomodation an die kanaanäerfreundliche Politik des Nordreichs. Der letzte dieser Reihe, Ahasja, wurde dann auch zusammen mit dem letzten Omriden durch Jehus Putsch hinweggefegt. Darüber hinaus fielen zweiundvierzig seiner „Brüder", also männliche Mitglieder seiner Familie, dem rasenden Jehu zum Opfer[10] – wie auf der anderen Seite die siebzig „Söhne Ahabs" in Samaria. Doch damit sind die Analogien nicht erschöpft. Die nordisraelitische Königsmutter, Isebel, machte nach der Ermordung Jorams Anstalten, selbst die Herrschaft anzutreten;[11] dieser Versuch war keineswegs illegitim, es war ihre Aufgabe, in dieser Situation für die Kontinuität staatlicher Machtausübung zu sorgen.[12] Jehu unterband dies schnell und brutal. Im Süden aber, der seinem unmittelbaren Zugriff entzogen war, etablierte sich nach Ahasjas Tod die Königsmutter Atalja als Herrscherin. Sie war nicht gewillt, die Macht nur interimistisch bis zur Kür eines neuen Königs aus der Davidsdynastie zu verwalten, rottete deshalb die noch übriggebliebene königliche Nachkommenschaft aus[13] und konnte sich tatsächlich mehrere Jahre auf dem Thron halten. Es dürfte verfehlt sein, Ataljas rabiate Maßnahmen allein mit dem hem-

---

[10] 2 Kön 9,27f; 10,12-14.

[11] So ist 2 Kön 9,30 zu deuten: Isebel tritt, gleichsam zur Audienz, ans Erscheinungsfenster.

[12] Vgl. schon oben Kap. 5 Anm. 22.23 sowie vor allem *H. Donner,* Art und Herkunft des Amtes der Königinmutter im Alten Testament, in: Festschr. J. Friedrich, Heidelberg 1959, 105-145.

[13] 2 Kön 11,1. Aus V.2 wird ersichtlich, daß es sich „nur" um die männlichen Nachkommen handelte.

mungslosen Machtwillen dieser Frau zu erklären. Eher hat sie die Flucht nach vorn ergriffen. Im nördlichen Bruderstaat war das Omridensystem unter Jehus Schlägen zusammengebrochen, die Herrscherfamilie gänzlich ausgerottet. Früher oder später würde das kleinere Juda in denselben Sog gezogen werden. Dies umso mehr, als Jehu gleich noch einen großen Teil der judäischen Königsfamilie mit umgebracht hatte. Damit war wohl diejenige Gruppierung innerhalb des Davidshauses, die es mit Ahasja und Atalja und ihrer pro-omridischen Politik hielt, der Jerusalemer Flügel sozusagen, ausgeschaltet.[14] Die Königsmutter, die an sich schon die Repräsentantin und jetzt mutmaßlich die letzte Vertreterin dieser Politik war, konnte nur entweder klein beigeben oder einen Gegenschlag führen. Atalja tat entschieden das Zweite – und beseitigte den anderen, den landjudäischen Flügel der davidischen Dynastie.

Der Schock, den dieses radikale Vorgehen auslöste, muß erheblich gewesen sein und eventuell vorhandene Gegenkräfte gelähmt haben. Außerdem stand Atalja zur Ausübung ihrer Herrschaft der gesamte, in langen Jahren gut eingespielte Macht- und Beamtenapparat der Jerusalemer Partei zur Verfügung. Wenn es der landjudäischen Gegenpartei[15] dennoch schon relativ bald gelang, die erste und einzige Königin vom Thron Davids zu stürzen, dann zeigt dies, daß im Südreich so wenig wie im Nordreich die realen Gegebenheiten eine Auflösung der kanaanäisch-israelitischen Polarität zugunsten der pro-kanaanäischen Partei zuließen, daß im Gegenteil darauf zielende Versuche über kurz oder lang bloß zu gewaltsamen und erfolgreichen Reaktionen der Gegenseite führten. Offensichtlich war die Kanaanisierung in Wirtschaft und Gesellschaft noch nicht so weit vorangeschrit-

---

[14] Jehu kannte natürlich die Parteiungen. Als er jene Zweiundvierzig fragte, wer sie seien, und diese arglos, von dem Umsturz nichts ahnend, antworteten, sie kämen in friedlicher Absicht gegen Joram und Isebel, wußte er Bescheid (2 Kön 10,13). Jehu mordete also nicht wahllos alle Davididen, die ihm in die Hände fielen, sondern wohl nur Anhänger der prokanaanäischen Richtung im Süden. Hier liegt m. E. die Antwort auf Donners ratlose Frage nach den Motiven für das Massaker (Herrschergestalten, 65).

[15] *Gunneweg,* Geschichte 99, nennt sie „die konservative Partei".

ten, waren die genuin israelitischen Strukturen und Verbände noch so weit intakt, daß im Entscheidungsfall immer noch *Israel* über die stärkeren Bataillone verfügte. Interessant ist aber auch, daß es zu diesem Entscheidungsfall im Norden wie im Süden, und zwar kurz hintereinander, gekommen ist. Dies mag zum Teil durch die herausragende Persönlichkeit oder auch Durchsetzungsfähigkeit eines Jehu bedingt sein, bestimmend dafür waren aber gewiß tieferliegende Gründe. Das kanaanäische Prinzip, durch Einverleibung der alten Städte und Installierung der orientalischen Monarchie in Israel heimisch geworden, war von Natur aus expansiv. Ließ man ihm freien Lauf, wie es die Omriden und die zeitgenössischen Davididen taten, mußte es wuchern und immer weitere Kreise der Gesellschaft erfassen.[16] Kern-Israel geriet dabei in die Defensive, und es war nur eine Frage der Zeit, wann der Druck so groß würde, daß es zur gewalttätigen Entladung kam.

Im damaligen Juda war Symbolfigur des Aufruhrs gegen die Herrschaft der Atalja Joas, ein Davidide, der dem Blutbad an den landjudäischen Gliedern des Königshauses entgangen war. Nicht zufällig stammte seine Mutter Zibja aus Beerscheba,[17] dem Zentrum des noch weitgehend nomadisch geprägten und kanaanäischen Einflüssen verschlossenen judäischen Negeb. Freilich, Joas war beim Umsturz noch ein Kind. Die Fäden in der Hand hielt Jojada, ein Priester am Jerusalemer Tempel.[18] Ihm gelang es, die Offiziere der Tempel- und vielleicht auch der Palastwache für sich zu gewinnen. Die große, treibende Kraft hinter dem Geschehen aber war der judäische *ʿam-hāʾāræṣ,* das „Volk des Landes". Er ist präsent, „freut sich", als Joas zum König ausgerufen wird (2 Kön 11,14), er geht gegen den anschei-

---

[16] Bis in die Gegenwart hinein gibt es Analogien zu diesem Vorgang, die hier nicht benannt zu werden brauchen.

[17] 2 Kön 12,2.

[18] Als – vermutlich hoher – königlicher Kultbeamter war er zum Protektor des Joas und damit der landjudäischen Partei an sich nicht prädestiniert: ein Beispiel dafür, daß auch diktatorische Regime nicht lückenlos kontrollieren können, und daß es immer wieder Menschen gibt, deren (geistiges) Bewußtsein von ihrem (materiellen) Sein differiert.

nend auch in Jerusalem heimisch gewordenen Baalskult vor (11,18), er ist bei der Inthronisierung des Joas dabei (11,19), und – so heißt es abschließend – er „war fröhlich und die Stadt war ruhig" (11,20). Deutlicher könnte der Gegensatz der beiden Parteien, der landjudäischen und der städtisch-jerusalemischen, nicht ausgesprochen sein.[19]

So war mit einer gewissen Phasenverschiebung wie mit Jehu im Norden, so im Süden mit Joas die antikanaanäische Partei an die Macht gekommen. Wie Jehu als „Eiferer" für Jahwe und gegen Baal auftrat, so wurde Joas von dem offenbar streng jahwistischen Priester Jojada auf den Thron gehoben und tat sich dann als religiöser Reformer zugunsten des Jahwismus hervor.[20] Doch anders als Jehu, der eine hundertjährige Dynastie begründete, war es Joas nicht vergönnt, die Macht der landjudäischen Partei fest und dauerhaft zu konsolidieren. Seine ʿăbādîm, seine Diener bzw. Beamten verschworen sich gegen ihn und erschlugen ihn.[21] Man würde darin vielleicht die Tat einiger nach der Macht gierender einzelner, das heißt eine mehr oder minder zufällige Palastrevolte sehen, wenn sich nicht dahinter größere Linien abzeichneten: Joas, der Landjudäer, wird von Jerusalemer Höflingen beiseitegeräumt.[22] Auf den Thron gelangt daraufhin

---

[19] *de Vaux*, Lebensordnungen I 120, sucht diesen Gegensatz herunterzuspielen – zu Unrecht. M. E. hat *H.-J. Zobel* mit seinen „Beiträgen zur Geschichte Groß-Judas in früh- und vordavidischer Zeit" (VTS 28, 1975, 253-277) den Entstehungsgrund dieses Landjudäertums zu einem guten Teil aufgedeckt; freilich nimmt er dann irrtümlich an, er sei mit Etablierung der Davidsdynastie geschwunden.

[20] Vgl. außer 11,18 das positive deuteronomistische Urteil in 12,2 und den Bericht 12,5ff. (Gegen die Meinung, hierbei handele es sich um einen späten ‚Midrasch', vgl. zuletzt *W. Dietrich*, Josia und das Gesetzbuch: VT 27, 1977, 13-35.)

[21] 2 Kön 12,21f.

[22] ʿăbādîm begegnet in den Samuel- und Königsbüchern etwa 35mal als unterwürfige Selbstbezeichnung oder als religiöser Begriff, aber rund 100mal geradezu als Titel für die Untergebenen des Königs: Soldaten, Matrosen, Hofleute, Berater, Unterhändler, enge Vertraute. Dies waren von Haus aus ‚kanaanäische' Berufe, und gerade in Jerusalem werden ihre Angehörigen überwiegend der Stadtpartei nahegestanden haben.

Amazja, Sohn einer gewissen Jehoaddin aus Jerusalem.[23] Mit anderen Worten, die Jerusalemer Partei hat sich wieder an die Macht geputscht. Zumindest meint sie, das geschafft zu haben. „Als das Königtum in seiner (Amazjas) Hand gefestigt war, erschlug er die Diener, die seinen Vater[24] erschlagen hatten" (14,5). Ist das ein privater Racheakt, oder hat sich der König, den seine Förderer von der Jerusalemer Partei sicher in der Hand zu haben meinten, plötzlich auf die andere Seite geschlagen,[25] hat er vielleicht heimlich längst auf dieser Seite gestanden und nun den politischen Wechsel erzwungen? Für das zweite spricht, abgesehen von dem deuteronomistischen Urteil, wonach Amazja „wie sein Vater Joas handelte" (14,3), das Ende seiner Herrschaft. „In Jerusalem", heißt es betont, gab es eine Verschwörung gegen ihn, er floh nach Lachisch, wurde aber bis dorthin verfolgt und getötet. Allem Anschein nach hatte die Jerusalemer Partei ein zweites Mal zugeschlagen. Dann geschieht etwas Eigenartiges: Anstelle des ermordeten Amazja erhebt *kol-'am-jᵉhûdāh*, „das ganze Volk von Juda", den Asarja zum König (2 Kön 14,21). Nicht mehr nur „das Volk des Landes" tritt also in Aktion, sondern, wie es scheint, eine umfassendere Größe, die Gesamtbevölkerung des Staates Juda. Danach war Asarja ein Kompro-

---

[23] 2 Kön 14,1f. Bei der Lesung des Namens folge ich dem Ketîb und LXX, während das Qerē und einige Versionen mit 2 Chr 25,1 Jehoaddan haben.

[24] LXX[BL] haben das hier in MT hinzukommende 'æt-hammælæk nicht. Es ist in der Tat überflüssig.

[25] Den Anlaß für einen unerwarteten Umschwung könnte man in jenen Geschehnissen suchen, die in 14,8-12 offenbar aus nordisraelitischer, in 14,13f aus judäischer Sicht geschildert werden: Amazja soll sich aus freien Stücken mit Joas von Israel, einem Erben Jehus also, angelegt haben; er wurde besiegt, ein Stück der Jerusalemer Stadtmauer geschleift, die Tempel- und Palastschätze geplündert. Es fällt auf, daß diese Maßnahmen des Siegers sich ausschließlich gegen die Residenz richten. Sollte die Jerusalemer Partei in besonderer Weise getroffen werden? War Amazja etwa von dieser Partei, die auf späte Rache an Jehu sann, in den Krieg getrieben worden, und brach er darum, nach dem Debakel, mit ihr? Die Konstruktion ist verlockend, doch will beachtet sein, daß die Ereignisse laut 14,17 (vgl. 14,2) erst in seinem 10. Regierungsjahr gespielt haben sollen.

mißkandidat, der von beiden Seiten akzeptiert wurde.[26] Es ist, als wäre man des dauernden Hin und Her müde geworden, als hätte man eingesehen, daß die Herrschaft der einen Gruppierung ohne oder gegen die andere nicht mehr möglich war.[27] Doch damit gelangen wir bereits in ein neues Stadium des Ringens zwischen Israel und Kanaan. Bevor wir es ausführlicher darstellen, wenden wir uns noch der Außenpolitik der israelitischen Staaten in der Epoche der Jehu-Dynastie zu.

Im Jahr 853 v. Chr. hatte der Omride Ahab im Verein mit dem Aramäerkönig von Damaskus und anderen Allierten bei Qarqar den militärischen Zugriff der Assyrer auf Syrien-Palästina abgeschlagen. Kein Jahrzehnt später wurde sein Sohn und Nachfolger Joram in einer Schlacht mit den Aramäern verwundet und wenig später gestürzt; wieder nur wenige Jahre danach, 841 v. Chr., zahlte der neue Machthaber Jehu den Assyrern bei einem neuerlichen Angriff auf Aram Tribut.[28] Diese einigermaßen erstaunliche Abfolge verlangt nach einer Erklärung.

Die Omriden legten offenbar Wert auf Frieden und gute Zusammenarbeit mit den Aramäern, weil sie meinten, auf diese Weise die Assyrer fernhalten und ihrem Land eine gewisse Prosperität bewahren zu können.[29] Man wird davon ausgehen dürfen, daß der Omride Joram diese in sich durchaus vernünftige politische Linie nicht von sich aus aufgegeben hat. Umgekehrt gibt es eine Reihe von Anzeichen dafür, daß die konservativ-israelitische Gegenpartei die Allianz mit den Aramäern nicht gebilligt und vielleicht sogar die kriegerischen Auseinandersetzun-

---

[26] Auch Omri ist als ‚Mann der Mitte‘ von „ganz Israel" zum König gemacht worden, vgl. 1 Kön 16,16f und oben Kap. 6.

[27] Vielleicht ist es ein weiteres Indiz dafür, daß der zeitweilige Mitregent Asarjas, Jotam, mit dem „Volk des Landes" in besonderer Beziehung gestanden zu haben scheint, obwohl seine Mutter betont Jerusalemer Herkunft war (2 Kön 15,5.33).

[28] Vgl. den Basaltobelisken Salmanassers III. bei *H. Greßmann*, AOB², Nr. 121-125, sowie *Galling*, Textbuch, 50f (Nr. 20).

[29] Über militärische Konflikte mit Aram hören wir aus der Zeit Omris und Ahabs nichts – außer aus den Prophetenerzählungen 1 Kön 20 und 22, die aber vermutlich von der Redaktion falsch datiert worden sind, s. u. Anm. 41.

gen in der Joram-Zeit geradezu provoziert hat. In zwei überlieferungsgeschichtlich recht unterschiedlichen Zusammenhängen tauchen Erinnerungen daran auf, daß die jahwetreuen prophetischen Kreise die Hand im Spiel hatten, als im nördlichen Nachbarland der offenbar mit den Omriden kooperierende König Benhadad von einem Offizier namens Hasael ermordet wurde.[30] Hasael aber ist die Personifikation der in der zweiten Hälfte des 9. Jahrhunderts über Israel hereinbrechenden Aramäernot. In der Tat hat Hasael bald nach seiner Machtergreifung Joram von Israel in einen Krieg verwickelt.[31] Vermutlich war genau dies das Ziel der radikal-antikanaanäischen Opposition im Nordreich. Denn kaum war Joram in Bedrängnis geraten[32] und auch noch persönlich verwundet worden, gab Elisa durch die Salbung Jehus das Signal zum innenpolitischen Umsturz.[33]

Somit läßt sich dem Schluß kaum ausweichen, daß die konservative Opposition in Israel kein anderes Mittel zum Sturz der Omriden wußte als – Landesverrat! Und auch davor schreckte sie nicht zurück, ausgerechnet mit dem aramäischen Erbfeind zu konspirieren; in der konkreten Situation hatten die „Falken" in beiden Ländern parallele Interessen. Freilich sofort nach dem Umsturz in Israel liefen die Interessen wieder auseinander. Hasael war nicht gewillt, die ihm einmal in die Hände gespielte Beute wieder loszulassen, und Jehu wollte nicht zum festen Vasallen Hasaels werden. Jetzt herrschte wieder Erbfeindschaft, und sie sollte in der Folgezeit grausige Opfer fordern.[34] Zunächst allerdings schien Jehu die besseren Trümpfe auszuspielen zu

---

[30] 2 Kön 8,7-15; 1 Kön 19,15-17.

[31] Vgl. 2 Kön 8,28 und *H. Bardtke,* Art. Hasael, BHH II, 650: „In dieser Zeit kämpfte H. gegen Joram"; er muß „etwa gleichzeitig mit Jehu zur Regierung gekommen sein".

[32] Ganz offensichtlich führte er keinen Angriffs-, sondern einen Defensivkrieg; das zeigt der Schauplatz der betreffenden Schlacht, Ramot im israelitischen Ostjordanland. Es ist nicht nötig anzunehmen, Joram sei in Wahrheit im Kampf gegen die Assyrer, nicht gegen die Aramäer, verwundet worden (gegen *M. C. Astour,* 841 BC.: The First Assyrian Invasion of Israel: JAOS 91, 1971, 383-389).

[33] 2 Kön 9,1-6.10b-13.

[34] Vgl. 2 Kön 8,11f; Am 1,3.

können: 841 v. Chr., anläßlich des vierten Feldzugs Salmanassers III. gegen Damaskus,[35] erscheint er als Tributär des assyrischen Großkönigs, das heißt, er läßt den Kontrahenten in Damaskus im Kampf gegen den nördlichen Feind kaltblütig im Stich.[36] Seine Nachfolger werden dann diese Linie konsequent fortsetzen und im Schutze der assyrischen Angriffe aktiv gegen den Aramäerstaat von Damaskus vorgehen. Nach allem, was die Israeliten mit den Aramäern in früherer Zeit und was sie speziell mit Hasael erlebt haben, ist dieses Verhalten begreiflich; daß es letztlich, trotz kurzfristiger Erfolge, den eigenen Untergang vorbereitete, läßt sich im nachhinein eindeutig feststellen.

Wenn also der Außenpolitik der Jehudynastie und der hinter ihr stehenden israelitischen Partei eine gewisse Kurzsichtigkeit bescheinigt werden muß,[37] dann auch – um hier einmal moralische Kategorien zu verwenden – ein gehöriges Quantum an Skrupellosigkeit und Treulosigkeit. Da ermutigt man bei den verhaßten Aramäern einen militanten Offizier zur Übernahme der Herrschaft und geradezu zur Invasion Israels, und dann, als man auf diese Weise die erstrebten innenpolitischen Ziele erreicht hat, versucht man den lästig werdenden Nachbarn mit Hilfe einer in seinem Rücken lauernden Macht loszuwerden. Indes, dieser letzte Teil des Plans glückte so nicht. Hasael vermochte die assyrischen Attacken so nachhaltig abzuwehren, daß der Großmacht am Euphrat die Expansion in den syrischen Raum auf Jahrzehnte hinaus verleidet blieb.[38] Folgerichtig hatte diese ganze Zeit über

---

[35] Man wird nicht fehlgehen, wenn man für den fünften Feldzug (838) das gleiche Verhalten Jehus voraussetzt.

[36] Vgl. *Gunneweg,* Geschichte 99: „Es ist nicht ausgeschlossen, daß er (Jehu) sich durch Tributzahlungen an die Assyrer deren Schutz gegen die Aramäer erkaufte".

[37] In diesem Zusammenhang wäre auch der Verlust Moabs (vgl. 2 Kön 3,5ff sowie die Mescha-Inschrift, *Galling,* Textbuch 51ff) und Edoms (2 Kön 8,20-22 – dies nur indirekt, wegen der Beanspruchung auch des Judäers Joram durch die Kämpfe seines israelitischen Namensvetters) zu nennen.

[38] 838 v. Chr. war Salmanassers III. fünfter Feldzug, erst um 800, unter Adadnirari III. und nach dem Ende der Regierungszeit Hasaels, begann Assur wieder, gegen den westlichen Sperriegel anzurennen – und jetzt mit Erfolg. Vgl. des näheren *H. Donner,* Adadnirari III. und die Vasallen des Westens, in: Festschr. K. Galling, Tübingen 1970, 49-59.

das Nordreich Israel wie nie zuvor unter den Aramäern zu leiden.[39]

Jetzt erwies sich, daß die jahwetreuen Kreise nicht aus innerer Überzeugung, sondern nur aus taktischen Gründen mit einem Mann wie Hasael kollaboriert hatten, jetzt zeigten sie sich als unbeugsame Patrioten. Eine Reihe von Elisageschichten stellt den berühmten Propheten als die Seele des Widerstands gegen Aram dar,[40] andere Erzählungen[41] schildern anonym bleibende Hofpropheten als treibendes Element in Kriegen mit den Aramäern.[42] Nach jahrzehntelangem Ringen neigte sich die Waagschale endlich doch zugunsten der Israeliten (und Assyrer). Unter den Königen Joas[43] und Jerobeam II. konsolidierte sich die außenpolitische und auch die wirtschaftliche Lage.[44] Die israelitische Partei wird dies als Bestätigung der Politik empfunden haben, die von Jehu und Joahas unter ungeheuren Opfern durchgesetzt und durchgehalten worden war. In gewisser Hinsicht war es eine „kleinbürgerliche" Politik: nicht auf ein weitgreifendes, einen internationalen (Waren-)Austausch begünstigendes Gleichgewicht der Mächte ausgerichtet, wie die der Omriden, sondern auf das Niederhalten des unmittelbaren Nachbarn und

---

[39] Vgl. oben Anm. 34 und 2 Kön 10,32f; 13,25.

[40] 2 Kön 6,8-7,20; 13; vgl. besonders auch den Ehrentitel in 13,14.

[41] 1 Kön 20 und 22. Zur Datierung dieser Texte in die Zeit der Jehu-Dynastie vgl. A. *Jepsen*, Nabi. Soziologische Studien zur alttestamentlichen Literatur und Religionsgeschichte, München 1934, 91; *ders.*, Israel und Damaskus: AfO 14 (1941) 153-172; *J. Fichtner*, Das erste Buch von den Königen, Stuttgart 1964, 294-298.

[42] Micha ben Jimla (1 Kön 22) hätte demnach nicht einem Omriden, sondern einem Nachkommen Jehus, vermutlich dem Joahas, Unheil geweissagt – wie dann ja auch Amos, der gegen Jerobeam II. auftrat (Am 7,10f). Die Gegner dieser Einzelpropheten waren, was überraschen mag, Vertreter der konservativ-israelitischen Partei. Daß auf der anderen Seite ein Amos nicht etwa pro-kanaanäisch dachte, braucht kaum betont zu werden. Offenbar verschoben sich in der Epoche der Jehu-Dynastie die Fronten; es wird darauf gleich zurückzukommen sein.

[43] 2 Kön 13,25.

[44] 2 Kön 14,28; Am 6,13. Neuerdings ist ein solcher Aufschwung mehrfach in Abrede gestellt worden, vgl. die Diskussion der Frage bei Herrmann, Geschichte 292f.

auf ein relatives Wohlergehen des israelitischen Bauern auf seiner Scholle.[45]

Ironischerweise macht sich gerade zu dem Zeitpunkt, als diese Ziele erreicht scheinen, eine Entwicklung bemerkbar, die den Sieg des israelitischen Elements über das kanaanäische ein wenig schal schmecken läßt. Um es thetisch vorweg zu sagen: Die Partei, die da siegt, ist nicht mehr das „reine Israel", wie es sich etwa in der Ära Sauls oder vielleicht noch beim Umsturz Jehus präsentierte. Es ist ein in weiten Bereichen kanaanisiertes Israel: geprägt von einer scharfen gesellschaftlichen Zerklüftung in ein Oben und ein Unten, in Vermögende und Machtlose. Und beides scheint dabei zuzutreffen: daß Israel siegte, weil es sich Kanaan angeglichen hatte und ihm so ebenbürtig, ja überlegen wurde, und daß das siegende Israel sich dem besiegten Kanaan immer noch weiter anglich, weil der Erfolg die eigenen alten Normen noch zusätzlich korrumpierte. So löste sich der jahrhundertealte Dualismus endlich auf. Doch die Folge war nicht ein Zustand des harmonischen Ausgleichs zwischen den gesellschaftlichen Kräften, sondern ein neuer Dualismus, dessen Fronten quer durch die bisherigen (und formell noch immer weiter bestehenden) Parteien verliefen.

Diese Entwicklung fällt ungefähr zusammen mit dem Wechsel zweier außenpolitischer Epochen: derjenigen der relativen Unabhängigkeit in einem System von Kleinstaaten in Syrien-Palästina und derjenigen der Abhängigkeit von den wieder auf Syrien-Palästina übergreifenden Großmächten im Südwesten und im Nordosten. Es ist sehr wahrscheinlich und ein Stück weit auch nachweisbar, daß die Verschiebung der internationalen Kräfteverhältnisse verschärfend auf die jetzt neu aufbrechenden gesellschaftlichen Widersprüche in Israel und Juda eingewirkt hat.

---

[45] Wenn 1 Kön 20 wirklich in die Zeit nach Jehu gehört, dann verrät sich an V.35ff allerdings, daß auch die Konservativen auf Absatzmärkte im Ausland aus waren.

8. Kapitel

Unter der Vorherrschaft der Großmächte

Assimilation

Auf den ersten Blick gesehen, scheinen die Spannungen zwischen dem israelitischen und dem kanaanäischen Bevölkerungsteil auch nach dem Ende der Jehudynastie und im Süden bis zum Beginn des Exils weiterzubestehen. Doch sobald man die Nachrichten, die in diese Richtung weisen, näher in Augenschein nimmt, stellt sich heraus, daß die alte Frontstellung wohl noch vorhanden, in Wahrheit aber nicht mehr die causa movens der Geschichte ist; sie wirkt jetzt eher wie ein Relikt aus einer inzwischen überholten Zeit, allenfalls noch tauglich als Vehikel für die dahinterliegenden, wirklichen Konflikte – oder auch für Einflußnahmen von außen.

Dieses eigenartige Schillern, der Eindruck, daß an den alten Fronten zum Teil nur mehr Scheingefechte ausgetragen werden und die eigentlichen Probleme ganz anders gelagert sind, hat sich bereits bei Betrachtung der judäischen Königslinie etwa ab 800 v. Chr. eingestellt. Die Krönung Amazjas, so vermuteten wir, war ein Kompromiß zwischen Landjudäertum und Jerusalemer Partei, die Stellung von Asarja und Jotam – übrigens auch von Ahas und Hiskia[1] – gegenüber diesen beiden Gruppierungen ist nicht leicht auszumachen.

---

[1] Von *Ahas* kennen wir nur sein Verhalten im syrisch-ephraimitischen Krieg (2 Kön 16,5-9; Jes 7f) und seinen Eingriff in den Jerusalemer Tempel (2 Kön 16,10-18). Abgesehen davon, daß beides wesentlich durch den Druck auswärtiger Mächte bestimmt war und darum kaum klare Auskunft über die innenpolitische Position des Königs zu geben vermag, kann man in beide Richtungen spekulieren: Die assurfreundliche Haltung ließe sich mit der Politik Jehus vergleichen, und dazu paßte die Feindschaft mit dem ‚omridisch‘ handelnden Pekach, König Nordisraels (der Ben-Tab'el Jes 7,6f wäre dann ein ‚Jerusalemer‘); auf der anderen Seite stünden synkretistische Neigungen, wie sie einem Puristen von der Art Jehus nicht zuzutrauen wären. *Hiskia* soll eine Kulturreform

Ähnliches gilt für die letzten, auf Jerobeam II. folgenden Könige des Nordreichs. Angenommen, Sacharja, Sohn Jerobeams und letzter Regent der Jehu-Dynastie, hätte noch in der antikanaanäischen Tradition seines Geschlechts gestanden, dann läge es nahe, seinen sehr rasch erfolgenden Sturz durch einen gewissen Schallum (2 Kön 15,10) als Werk der pro-kanaanäischen Gruppierungen aufzufassen. Dem steht entgegen, daß Schallum als „ben Jabesch" bezeichnet wird, was sehr wohl auf seine Herkunft aus der seit jeher streng israelitischen Stadt dieses Namens im Ostjordanland[2] weisen könnte; außerdem wird sein Vorgehen gegen Sacharja in einer nicht mehr völlig aufzuhellenden Weise mit dem *'am*, also dem israelitischen Volksverband in Beziehung gebracht;[3] sollte er also ein Erzisraelit gewesen sein, dem die letzten Herrscher des Hauses Jehu nicht mehr hart genug gegen alles Kanaanäische waren? So oder so, Schallum wurde bereits nach einem Monat von Menachem ben Gadi beseitigt (2 Kön 15,14). Das sieht danach aus, als sollte die Politik der von Schallum unterbrochenen Jehu-Linie wieder aufgenommen werden. In der Tat erweist sich Menachem, wie einst Jehu, als willfährig gegen die Assyrer. Der Tribut freilich, den er ihnen entrichten muß, treibt er bei den *gibbôrê haḥajil* ein. Dieser Begriff fällt aus dem volksgebunden-nationalen Denken heraus und bezeichnet offenkundig eine soziale Schicht, nämlich die Wohlhabenden – gleich ob israelitischer oder kanaanäischer Her-

---

vorgenommen haben (2 Kön 18,4), was nach israelitischem Rigorismus klingt; hierhin könnte man die ihm in den Jesaja-Legenden nachgesagte Frömmigkeit und die angebliche Liaison mit Jesaja rechnen. Die antiassyrische Kriegspolitik, die Hiskia immer stärker verfolgt hat, zeigt aber in die andere Richtung. Die Konturen bleiben so unscharf, weil die Nachrichten spärlich und unprägnant, aber wahrscheinlich auch, weil die dahinter stehenden Fakten in die Alternative Israel-Kanaan nicht mehr exakt einzuordnen sind.

[2] Vgl. oben Kap. 2.

[3] 2 Kön 15,10: *wajjakkēhû qābol-'ām.* Es ist nicht klar, was die Wurzel *qbl* hier bedeutet, vgl. die Lexika (meist: „vor, angesichts" o. ä.) und W. *Zimmerli,* Ezechiel (BK XIII/2) Neukirchen 1969, 608 (zu der einzigen Parallele Ez 26,9; er bezeichnet 2 Kön 15,10 als Textfehler). LXX[L] hat εν ιεβλααμ, wonach oft verbessert wird.

kunft.[4] Falls Menachem also der israelitischen Partei zuzurechnen wäre, dann handelte er hier doch nicht im Interesse dieser Partei, sondern im Sinne der „kleinen Leute". Ihnen, die unter Kriegen erfahrungsgemäß am meisten zu leiden haben, wird es auch ganz recht gewesen sein, daß der König das Land vor einem Krieg mit Assur bewahrte, indem er – noch dazu mit dem Geld der Wohlsituierten – die Ansprüche der Großmacht durch finanzielle Leistungen befriedigte.[5]

Wir wissen von Menachem nicht viel, doch was wir von ihm wissen, läßt seine Politik fast als Realisierung der politischen Intentionen der klassischen Propheten erscheinen. Auch sie, wiewohl natürlich der israelitischen und nicht der kanaanäischen Tradition verbunden,[6] waren gegenüber dem alten Parteienstreit im ganzen merkwürdig indifferent. Wohl wettert der Landjudäer

---

[4] Vgl. HAL 299, sowie W. Bolle, Das israelitische Bodenrecht (Diss. theol. Berlin) 1939, 109-112, und de Vaux, Lebensordnungen I 118. Ursprünglich handelt es sich um einen Terminus aus dem militärischen Bereich („Tapferer, Held"), doch in der Königszeit, als man die relativ kostspielige Bewaffnung der Kanaanäer bzw. Philister übernommen und dann noch weiter entwickelt hatte, wurde die Ausrüstung des Kämpfers zum Statussymbol; nur mehr Wohlsituierte konnten sie sich zulegen. Solcher Exklusivität entspricht die aus 2 Kön 15,19f zu errechnende Zahl von 60000 Betroffenen sowie die Gegenüberstellung mit den niederen sozialen Schichten in 2 Kön 24,14.

[5] Menachems Sohn Pekachja wurde nach kurzer Regierungszeit von Pekach ben Remaljahu ermordet (2 Kön 15,25). Vieles an der Revolte sieht nach ‚kanaanäischer' Urheberschaft aus: Pekach ist hoher Offizier in der Umgebung des Königs; sofort nach seiner Machtübernahme verbündet er sich – wie einst Ahab – mit den Aramäern gegen die Assyrer; die Propheten Hosea (5,8f, vgl. dazu A. Alt, Kl.Schr. II, 163ff) und Jesaja (7,4.9, vgl. zuletzt Dietrich, Jesaja und die Politik, 60ff) wenden sich gegen seine Politik. Aber auch hier ergibt sich kein ganz stimmiges Bild: Pekach hatte bei seinem Putsch „fünfzig Mann von den Gileaditen" auf seiner Seite, eine Truppe also aus dem betont israelitischen Ostjordanland. (Oder sollte das $w^{e}\hat{i}mm\hat{o}$ syntaktisch auf Pekachja zu beziehen sein, so daß hier die Leibwächter gemeint wären, die an der Seite ihres Herrn starben?)

[6] Das gilt auch für den Jerusalemer Jesaja. So sehr er durch Traditionen des dortigen Tempels mitgeprägt gewesen sein mag (vgl. W. H. Schmidt, Jerusalemer El-Traditionen bei Jesaja: ZRGG 16, 1964, 302-313), so wenig könnte man ihn als ‚Jebusiter' ansprechen.

Micha aus Moreschet gegen Jerusalem[7] und lehnen sich namentlich Hosea und Jeremia gegen die Assimilierung an den kanaanäischen Baal-Kult auf. Doch die Zeiten, da bei Dynastiestürzen und Bürgerkriegen Propheten mit von der Partie waren, sind offensichtlich vorbei. Nicht mehr Könige einer bestimmten nationalen Richtung werden angegriffen, sondern das Königtum wird gerade wegen seiner Verstrickung in nicht enden wollende Parteikämpfe als ganzes in Frage gestellt.[8] In anderen Fällen werden einzelne Könige wegen bestimmter politischer Fehlentscheidungen kritisiert. Maßstab dabei ist das Wohlergehen nicht des israelitischen bzw. judäischen Bevölkerungsteils, sondern außenpolitisch das der gesamten Nation,[9] innenpolitisch das der schlecht gestellten Gesellschaftsschichten.

Eben die prophetische Sozialkritik ist der deutlichste Indikator für die gegenüber den vorangehenden Jahrhunderten veränderte sozio-ökonomische Lage.[10] Israel war bei seiner Festsetzung in Kanaan auf einen in fast jeder Hinsicht überlegenen Gegner getroffen. Es hatte sich dennoch behauptet, indem es sich wirtschaftlich, militärisch und politisch den Bedingungen des Lebens in diesem Lande anzupassen verstand; spätestens seit David war es über die ehemaligen Lehrmeister, die Kanaanäer und Philister, hinausgewachsen, freilich um den Preis einer ständig zunehmenden ‚Kanaanisierung' in wohl allen Lebensbereichen; Israel war ‚modern' geworden, und auch die konservativen Gegenbewegungen unter Jerobeam I. und vor allem unter Jehu konnten

---

[7] Mi 1,8f; 3,10-12, wohl auch 6,9ff.

[8] Im Rückblick auf die Vergangenheit – genauer: die Anfänge unter Saul und den Umsturz Jehus – Hos 10,9; 1,4, im Blick auf die turbulente Gegenwart Hos 7,7; 8,4; 13,11.

[9] Jesaja etwa wendet sich, zur Zeit des Ahas, gegen die freiwillige Unterwerfung unter Assur, und er wendet sich, unter Hiskia, gegen die militärische Herausforderung Assurs. Eine durchgehende Partei-Linie läßt sich nicht ausmachen. Desgleichen verurteilt Hosea die Anbiederung sowohl an Ägypten als auch an Assyrien (5,13; 7,11) – obwohl gewiß die Parteien im Lande sich jeweils an eine der Großmächte hängten. Die von beiden Propheten erhobene Forderung nach Neutralität fällt erkennbar aus dem parteipolitischen Rahmen.

[10] Zum folgenden vgl. *Dietrich,* Jesaja und die Politik, 27ff, und die dort verarbeitete Literatur.

daran entscheidend nichts mehr ändern; die ehedem Beherrschten waren zu den Herrschenden geworden. Allerdings – nicht alle! Das erlaubte schon das soziale und ökonomische System Kanaans nicht. Es ließ nur wenige zu Macht und Einfluß gelangen; der große Rest mußte wohl oder übel für den Aufstieg dieser wenigen aufkommen und für sich selbst einen relativen, aufs ganze gesehen auch einen absoluten Abstieg hinnehmen. Die relative Verschlechterung beruhte auf der Aufspaltung einer ursprünglich in der Struktur homogenen Gesellschaft in ein Oben und ein Unten, die absolute, die möglicherweise erst nach der Glanzzeit der davidisch-salomonischen Ära spürbar wurde, auf der immer ausschließlicheren Nutzung des bestenfalls langsam wachsenden gesellschaftlichen Reichtums durch die Oberschicht.

Dieser Prozeß läßt sich veranschaulichen an dem für Israel wichtigsten ökonomischen Bereich, der Landwirtschaft. Auch die Kanaanäer betrieben natürlich Ackerbau zur Deckung des Bedarfs an Nahrungsmitteln. Doch gab es dabei zwei wesentliche Unterschiede zu Israel: Kanaan, auf der Landbrücke zwischen zwei Kontinenten gelegen, war von früh an Handelsland; die Landwirtschaft war also nicht der einzige große, vielleicht nicht einmal der größte Faktor der dortigen Wirtschaft. Der zweite Unterschied betrifft die Besitzverhältnisse. Jeder Stadtstaat umfaßte neben dem städtischen Zentrum einige Nebenorte, Dörfer, die hauptsächlich von Bauern bewohnt waren und die Stadt mit Lebensmitteln versorgten. Dorthin, auf die dort ansässige Oberschicht – König, Höflinge, Offiziere, große Händler – war die Produktion ausgerichtet. Dort saßen denn auch die großen Landeigentümer, denen die meisten Bauern als Pächter oder Leibeigene dienten. Für die Israeliten hingegen war die Landwirtschaft – Ackerbau, Viehzucht, Weinbau – die weitaus bedeutendste Erwerbsquelle, und das Sippensystem garantierte prinzipiell jedem Mitglied der Rechtsgemeinde gleichen Anteil am landwirtschaftlich genutzten Boden und seinem Ertrag. Was geschehen mußte, wenn Israel die angestammte Sozialordnung aufgab und sich, speziell nach Einführung der Monarchie, zunehmend der städtisch-kanaanäischen anglich, liegt auf der

Hand: Zwar ließ sich so die wirtschaftliche Dominanz der Kanaanäer abbauen, konnten neben Kanaanäern auch Israeliten in die führenden Positionen von Wirtschaft und Staat aufsteigen; auf der anderen Seite jedoch vermochte die Sippengemeinschaft, ohnehin bedroht durch die geographische Aufsplitterung und ethnische Aufsprengung ihrer Verbände, nicht mehr dem einzelnen ein sicheres Auskommen auf seiner eigenen Scholle zu gewährleisten. Der sich verselbständigende Staatsapparat und die ‚freie' Wirtschaft verlangten nach Konzentration von Macht und Besitz, also mußte der Boden käuflich werden. Für eine bestimmte Übergangszeit gab es neben dem modernen, feudalistischen Bodenrecht Kanaans noch das altertümliche, fraternalistische der Israeliten.[11] Der Zusammenprall zwischen beiden Auffassungen ist exemplarisch in 1 Kön 21, der Geschichte von Nabots Weinberg, geschildert.[12] Man geht sicher nicht fehl in der Annahme, daß die ‚Revolution' Jehus mit von der Erwartung getragen war, jetzt werde es ein Ende haben mit den staatlichen und privaten Übergriffen auf israelitisches Bauernland. Die Sozialkritik eines Amos, der noch zur Zeit der Jehu-Dynastie im Nordreich auftrat, zeigt, daß solche Hoffnungen getrogen haben; und dasselbe düstere Bild malen Jesaja und Micha vom judäischen Süden. Man tötet jetzt nicht mehr den, dessen Land man will, sondern man erwirbt sich Land und Landarbeiter auf dem Wege der Schuldknechtschaft,[13] das heißt, man sorgt nach Kräften dafür, daß Bauern unrentabel produzieren, in Not geraten und einen Gläubiger brauchen, man leiht zu überhöhtem Zins, betreibt durch rücksichtsloses Eintreiben der Schuld den Ruin der Schuldner und pfändet schließlich deren Besitz und möglichst noch die Arbeitskraft. Ganz von selbst führt dieses System zu immer weiterer Akkumulation von Kapital und Grundbesitz, was bedeutet, daß immer breitere Schichten unselbständig werden und verarmen. Dazu trägt außerdem noch

---

[11] Grundlegend noch immer: *W. Bolle,* Bodenrecht, 3-66.

[12] *Baltzer,* WuD NF 8 (1965) 73ff; *H. Seebaß,* Der Fall Naboth in 1 Reg. XXI, VT 24 (1974) 474ff; vgl. oben Kap. 6, vor allem Anm. 18.

[13] Schon 2 Kön 4,1, vor allem aber Am (5,11) 8,6; Jes 5,8; 10,1f; Mi 2,2.

das Königtum bei, das für die Belehnung von Beamten und Soldaten und zur Versorgung des Hofes immer größere Krongüter anzusammeln trachtet – wenn wohl meist auch auf weniger brutale Weise als die Grundbesitzer.[14]

Die Hauptleidtragenden dieser Entwicklung waren die israelitischen und judäischen Bauern.[15] Wer aber waren im genaueren die Nutznießer? Nun, zunächst natürlich die kanaanäische Führungsschicht, die, von den Israeliten scheinbar aus ihren Positionen gedrängt, bald wieder mehr wirtschaftliche, zuweilen wohl auch politische Macht besaß als zuvor; denn durch den Zustrom arbeitender Bevölkerung hatten sich die Produktions- und Absatzmöglichkeiten mit Sicherheit verbessert. Doch die neue Oberschicht, die sich seit Einrichtung der Monarchie in Israel zu bilden begonnen hatte, bestand nicht nur aus Kanaanäern, sondern auch aus Gliedern der in Auflösung begriffenen israelitischen und judäischen Stammesverbände. Dafür spricht von vornherein die historische Wahrscheinlichkeit. Ganz gewiß umgaben sich die Könige im Nord- und im Südreich, die ja nur in den seltensten Fällen kanaanäischer Abkunft waren,[16] nicht nur mit kanaanäischen Untergebenen, und ganz gewiß gab es in Israel Leute, die fähig und entschlossen waren, es den arrivierten Kanaanäern gleichzutun. Doch wir haben auch direkte Zeugnisse: David brachte seine „Mannen" mit nach Jerusalem;[17] den Sturz Ataljas erzwangen Priester und Soldaten der Hauptstadt Jerusalem – ein Zeichen, daß nicht einmal diese Königin ihre Umgebung völlig zu kanaanisieren vermochte; im Norden griff wiederholt der Heerbann in Thronstreitigkeiten ein, und seine Führer waren zweifellos Israeliten.

Ein sehr aufschlußreiches Zeugnis über die Zusammensetzung

---

[14] *M. Noth,* Das Krongut der israelitischen Könige und seine Verwaltung: ZDPV 50 (1927) 211-244 = ABLAK I (1971) 159-182; *A. Alt,* Der Anteil des Königtums an der sozialen Entwicklung in den Reichen Israel und Juda, Kl.Schr. III, München 1959, 348-372.

[15] Die Lage der kanaanäischen Unterschicht wird sich nur mehr graduell verändert haben.

[16] Vgl. außer der Praxis die Theorie in Dtn 17,15b.

[17] 2 Sam 5,6, vgl. auch die Liste 2 Sam 23,8ff.

der Oberschicht im Juda des 8. Jahrhunderts bietet uns die Gerichtsrede Jes 3,13-15.[18] Jesaja sieht da, wie Jahwe in einem Rechtsstreit aufsteht, um für die Armen *('ānî, 'ănijjîm)* Partei zu ergreifen; sie sind „zertreten" und „zermalmt", konkret: sie sind „beraubt" worden. Von wem? Von den „Ältesten" (z^eqēnîm) des Volkes und den „Oberen" (*śārîm*). Der eine Begriff hat deutlich noch die Sippenordnung zum Hintergrund, sofern er soziologische Gegebenheiten mit Verwandtschaftsverhältnissen beschreibt, der andere ist ein hierarchischer Begriff, der die Stellung eines Vorgesetzten gegenüber einem Untergebenen, ein befehlendes ‚Oben' gegenüber einem gehorchenden ‚Unten' bezeichnet.[19] Das Nebeneinander beider Wörter läßt erkennen, daß die Oberschicht sich aus zwei großen Lagern rekrutiert, die genau den von uns beobachteten beiden Parteien entsprechen. Mit den *śārîm* ist hier die königliche Beamtenschaft gemeint, Minister, hohe Offiziere, Verwaltungsbeamte, Gouverneure – kurz, die führenden Männer der im Kern jebusitischen Stadtpartei. Die z^eqēnîm hingegen sind die Notabeln auf dem Lande, in den Dörfern und den kleineren Städten: die Häupter der führenden Familien, verantwortlich für die öffentliche Ordnung, vor allem für die Gerichtsbarkeit im lokalen Bereich. Diese beiden Gruppen stellt Jesaja den „Armen" gegenüber: „Der Raub des Armen ist in euern Häusern!" In der Sache geht es allem Anschein nach um die zwar halbwegs legale, aber keineswegs legitime Aneignung von Bauernland durch die schmale Schicht von ohnehin schon Privilegierten. Sie haben die finanziellen, politischen, juristischen Möglichkeiten dazu, und sie setzen sie so skrupellos ein, daß am Ende die Herrschaft einiger weniger Begüterter über ein Volk von Leibeigenen stehen wird (Jes 5,8) – wenn Jahwe nicht eingreift. Doch Jahwe bleibt nicht untätig. Er

---

[18] Ausführlich analysiert bei *Dietrich,* Jesaja und die Politik, 16ff.38f.

[19] Bezeichnenderweise kommt *śar* im Bundesbuch überhaupt nicht vor, im deuteronomischen Gesetz nur einmal in prägnant militärischer Bedeutung (20,9), und in den Richtergeschichten kaum einmal in Zusammenhang mit den israelitischen Verbänden (vgl. Ri 4,2.7; 7,25; 8,3.6.14; 9,30; nicht ganz durchsichtige Ausnahmen: Ri 5,15; 10,18).

schafft den Armen, seinem Volk[20] – welch eine Gleichsetzung! –[21] Recht. Das heißt, der Prophet und sein Gott stehen außerhalb des alten Parteien-Dualismus; sie wollen nicht etwa die (judäischen) $z^eqēnîm$ gegen die (kanaanäischen) *śārîm* unterstützen, sie sind in diesem Sinn nicht parteiisch. Sie sind jedoch höchst parteilich, sofern sie sich ganz entschieden auf die Seite derer stellen, die unter den Führungscliquen *beider* Parteien zu leiden haben.

Die klassischen Propheten haben nicht zur Revolution aufgerufen. Sie sagten, die Revolution werde von Gott her kommen; er werde in dieser verrotteten Gesellschaft das Oberste zuunterst kehren, und sein bevorzugtes Mittel dazu seien auswärtige Mächte, namentlich die Assyrer.[22] Diese Erwartung war äußerst realistisch. Die Assyrer pflegten sich bei siegreichen Feldzügen immer an die Oberschichten der unterworfenen Völker zu halten – wohl, weil es da am meisten zu holen gab. Die herrschende Klasse verfügte über die meisten technischen Kenntnisse, über die reichsten wirtschaftlichen Güter und das entscheidende militärische Potential einer Nation. Schon von da her lohnte es sich, sie zu entmachten und zu enteignen, um sie dann in die eigenen Dienste zu übernehmen. Wenn man sie auch noch, wie es die Assyrer taten, nicht im Lande ließ, sondern gewaltsam in andere Kolonien und Satellitenstaaten verpflanzte, dann war abzusehen, daß sie dort für wirtschaftlichen Aufschwung, aber auch für politische Uneinigkeit sorgen würde, und daß umgekehrt in ihrem Heimatland die bisher Unterdrückten den Wechsel wohl dankbar begrüßen, aber gegen die neue, assyrische Unterdrükkung kaum wirksam würden aufbegehren können.

Es liegt auf der Hand, daß dieses Konzept nicht darauf angelegt war, innerhalb der Oberschicht eines Landes feine Unterschiede

---

[20] In 3,13 ist statt *'ammîm* mit LXX und Peschitta *'ammô* zu lesen.

[21] Sie wurde später, vor allem in den Psalmen und dann in nach-alttestamentlicher Zeit, geläufig, wobei freilich ‚arm' immer mehr übertragene, religiöse Bedeutung gewann, vgl. *E. Bammel*, Art. πτωχός, ThWNT VI, 885ff.

[22] Für Jesaja vgl. *Dietrich*, Jesaja und die Politik, 44ff.257. Für Micha siehe vor allem 2,4f; hier sind zwar, so wenig wie in Am 4,3, die Assyrer beim Namen genannt, doch stehen sie unverkennbar im Hintergrund der Drohungen.

zu machen. Die Großmacht Assur hatte Sinn allein für die faktische Macht, althergebrachte Fraktionierungen unter den Mächtigen waren ihr an sich gleichgültig. Insofern war ihr von den Propheten angedrohtes und im Norden auch tatsächlich Wirklichkeit gewordenes Vorgehen der neuen gesellschaftlichen Situation in Israel vollkommen adäquat. Das schließt nun aber nicht aus, daß die alten Parteien in den Auseinandersetzungen um die Außenpolitik der beiden israelitischen Staaten nicht doch eine gewisse Rolle spielten. Auch wenn nämlich Jesaja wie selbstverständlich z^{e}qēnîm und śārîm gemeinsam den breiten Volksmassen gegenüberstellt, und wenn auch die Assyrer die Sachlage ganz ähnlich beurteilen, so heißt das doch nicht, daß die Betroffenen ihre Situation mit gleicher Objektivität einschätzten. Man konnte nämlich damals durchaus noch verkennen, daß das seit Jahrhunderten während Ringen zwischen Israel/Juda und Kanaan um die Vorherrschaft inzwischen entschieden war – nicht zugunsten einer dieser Parteien, sondern zugunsten derer, die sich hier wie dort oben zu halten oder nach oben zu arbeiten verstanden hatten, und zuungunsten einer breiten Unterschicht auf beiden Seiten. Nach wie vor konnte man meinen, bei der Neueinsetzung eines Königs komme es darauf an, einen Mann der eigenen nationalen Richtung auf den Thron zu bekommen – bei den führenden Kreisen in der Erwartung, er werde sich seinen Förderern erkenntlich zeigen, bei den kleinen Leuten in der Hoffnung, er werde (und sei es auf Kosten des anderen Volksteiles) eine Wende zum Besseren herbeiführen. Nach wie vor konnten die Anhänger beider Parteien darauf hinwirken, die andere Seite möglichst gründlich zurückzudrängen und selbst ihr Erbe anzutreten. Und diesem Streben konnte man auch die Außenpolitik zunutze zu machen versuchen. In der Jehu-Zeit, so sahen wir, ging es darum, ob Aram oder Assur als Verbündeter bzw. als Hauptfeind anzusehen war.[23] Die Alternative verschob sich gegen Ende des 8. Jahrhunderts zu den beiden Großreichen

---

[23] Um diese Frage scheint ja noch bei der Usurpation des Pekach (syrisch-ephraimitischer Krieg!) gerungen worden zu sein.

Ägypten und Assyrien,[24] die innenpolitische Polarität aber war – scheinbar – die gleiche geblieben. Die Parteien werden also wie eh und je versucht haben, mit Hilfe einer auswärtigen Macht den jeweiligen innenpolitischen Gegner unter Druck zu setzen.[25] Und umgekehrt werden die Großmächte den Streit zwischen den Parteien für ihre Zwecke genutzt haben; die Maxime *divide et impera* hat nicht erst Cäsar befolgt.[26]

Daß sich gegen Ende der Epoche, die durch die Herrschaft der Jehu-Dynastie geprägt ist, so plötzlich rings um Palästina gewaltige weltpolitische Wogen auftürmten, um alsbald vernichtend über das Nordreich, verheerend über Juda hinwegzurollen, hatte für die innere Entwicklung der beiden Staaten tiefgreifende Folgen. Gerade erst hatten die klarsichtigsten Männer dieser Zeit, die Propheten, die geschilderte Verschiebung der gesellschaftlichen Widersprüche wahrgenommen – da wurde das Problem bereits durch die Expansion der Reiche an Nil und Euphrat beiseitegefegt. Die eben aufgebrochenen Gegensätze konnten sich nicht mehr voll entfalten, davon, daß sie ausgetragen und aufgelöst worden wären, ganz zu schweigen.[27] Im Gegenteil, unter der Einwirkung der Großmächte gewannen die alten, eigentlich schon überlebten Parteien erneut Bedeutung und innere Konsistenz. Denn jetzt bot sich ja die Chance, mit Hilfe des einen oder des anderen Schutzherrn die jeweilige Konkurrenz auszuschalten und die Führungspositionen in Staat und Gesellschaft für sich allein zu sichern. Ein großer Meister dieses Fachs war der König Manasse (etwa 696-642).

---

[24] Analog dazu hieß es hundert Jahre später: Ägypten oder Babylonien.

[25] Es sieht so aus, als hätten die israelitischen und judäischen Elemente eher Assyrien, die städtisch-kanaanäischen eher Ägypten bevorzugt. Doch wie die innenpolitischen Fronten sich faktisch verändert hatten, so mögen auch die außenpolitischen gewechselt haben.

[26] Laut Jes 7,6 standen sich 734/33 in Juda Ahas und ein Ben-Tab'el gegenüber; im Nordreich hat Tiglatpileser für den vermutlich prokanaanäischen Pekach nach eigenem Bekunden den Hosea, wohl einen Mann der israelitischen Richtung, eingesetzt (*Galling,* Textbuch 59).

[27] Vermutlich ließ die Vehemenz der äußeren Gefahr solche inneren Antagonismen als geringfügiger erscheinen, als sie in Wirklichkeit waren.

9. Kapitel

Das Regime Manasses

REPRESSION

Die Regierungszeit Manasses – immerhin ein reichliches halbes Jahrhundert – ist einer der undurchsichtigsten Abschnitte der Geschichte Israels. Unmittelbare Zeugnisse über sie gibt es so gut wie keine. In den Königsbüchern berichtet darüber nur der relativ knappe und überdies rein deuteronomistische Passus 2 Kön 21,1-18.[1] Der Bericht der Chronik ist hier vielleicht noch weniger als sonst als selbständige historische Überlieferung zu werten,[2] und das gilt erst recht für die jüdische Legende vom Martyrium des Jesaja und das apokryphe „Gebet Manasses"[3]. Wenn, wie in diesem Falle, die direkten, namentlich die literarischen Quellen schweigen, dann bleibt nur das Rückschlußverfahren,[4] das heißt der Versuch, den fraglichen Zeitraum von den angrenzenden, historisch weniger verschlossenen Zeitabschnitten her aufzuhellen.

Zum Abschluß seiner Strafexpedition, durch die das palästinisch-ägyptische Bündnis gegen Assyrien zerschlagen wurde, warf Sanherib im Jahr 701 Juda nieder und verteilte, neben anderen Maßnahmen, das flache judäische Land (oder zumindest große Teile davon) an die treugebliebenen philistäischen Vasal-

---

[1] Vgl. dazu *Dietrich*, Prophetie und Geschichte, 14.31ff.

[2] Man denke nur an die skurrile Geschichte von Manasses Bekehrung im assyrischen Babylon, 2 Chr 33,11ff.

[3] *P. Riessler*, Altjüdisches Schrifttum außerhalb der Bibel, Heidelberg ²1966, 481ff bzw. 348f.

[4] Die dritte methodische Möglichkeit, die Analogiebildung (zu dieser methodischen Trias vgl. den Aufbau von *R. Smend*s Buch „Das Mosebild von Heinrich Ewald bis Martin Noth", Tübingen 1959), ist auf unseren Fall nur schwer anwendbar.

lenkönige von Asdod, Ekron und Gaza.[5] Hiskia blieb faktisch nicht viel mehr als König des ursprünglichen Stadtstaates Jerusalem. Mit diesem Schachzug, der die intime Kenntnis innerjudäischer Verhältnisse verrät, erreichte Sanherib mit einem Mal eine ganze Reihe von Zielen. Zunächst stellte er damit die genannten Philisterstädte zufrieden – nicht ohne den Neid der beiden abtrünnig gewordenen und hart zur Rechenschaft gezogenen, Askalon und Gat, zu wecken. Sodann bedeutete die Unterstellung Judas unter philistäische Gouverneure, statt wenigstens unter assyrische, eine ungeheure Demütigung. Es sieht ganz danach aus, als sollten hier gezielt die Hauptverantwortlichen für den antiassyrischen Aufstand getroffen werden.[6] Dem entspricht, daß die assyrischen Invasionstruppen zuvor die Landschaft Juda verheerend heimgesucht, die Belagerung Jerusalems aber sofort nach der Kapitulation Hiskias abgebrochen und die Stadt ansonsten unversehrt gelassen hatten.[7] Da wurden deutlich und absichtsvoll Unterschiede gemacht![8]

Wir wissen nicht, ob Hiskia fest einer der beiden judäischen Parteien zugerechnet werden kann. Sicher dürfte nach dem Gesagten aber sein, daß er mit seiner zögernd in den Jahren 713/711, entschlossen nach 705 betriebenen antiassyrischen Politik die Sympathien der Landjudäer hatte.[9] Diese ließ Sanherib bitter

---

[5] Vgl. den Eigenbericht Sanheribs (z. B. AOT[1], 1909, 118f) und dazu *W. Rudolph,* Sanherib in Palästina: PJB 25 (1929) 59-80; *A. Alt,* Nachwort über die territorialgeschichtliche Bedeutung von Sanheribs Eingriff in Palästina: PJB 25 (1929) 80-88; *O. Eißfeldt,* Ezechiel als Zeuge für Sanheribs Eingriff in Palästina: PJB 27 (1931) 58-66.

[6] Wir werden gleich sehen, daß in der Folgezeit tatsächlich die Landschaft Juda das Rückgrat des Widerstands gegen die assyrische Vorherrschaft wurde.

[7] Vgl. wiederum Sanheribs Eigenbericht sowie Jes 1,4-9 und 22,1-14.

[8] Hier wird einer der Gründe sichtbar, aus denen die Hauptstadt im Jahr 701 verschont blieb; zur Diskussion um die (vermeintlich) wunderbare Errettung Jerusalems vgl. *Dietrich,* Jesaja und die Politik, 102ff.

[9] Das eröffnet interessante Perspektiven. Nach 2 Kön 18,4 soll Hiskia eine Art Kultusreform vorgenommen und dabei auch die Aschera – die typisch kanaanäische Göttin – „umgehauen" haben; doch die Nachrichten hierüber sind knapp und einigermaßen dunkel. Der Prophet Jesaja, wohl ein gebürtiger Jerusalemer, war ein entschiedener Gegner der antiassyrischen Kriegspolitik,

büßen, Hiskia dagegen beließ er auf dem Thron. Das wirkt auf den ersten Blick inkonsequent, ist in Wahrheit aber nur eine geschickte taktische Maßnahme. Hiskia durfte weiterregieren, jawohl – doch unter welchen Bedingungen! Er war politisch und militärisch restlos gescheitert, er hatte riesige Verluste an Menschen und Gütern zu verantworten; das judäische Land, das ihm politischen Rückhalt gegeben hatte, stand unter philistäischer Knute, der übriggebliebene Rumpfstaat hatte schwerste Tribute aufzubringen, mit einem Wort: Hiskia war als König im Grunde erledigt. Dieser Mann konnte den Assyrern keine Schwierigkeiten mehr machen, im Gegenteil, sein Verbleiben im Amt garantierte geradezu Spannungen zu der jetzt erst recht antijudäisch eingestellten Bevölkerung Jerusalems.

Tatsächlich hat Hiskia sein Fiasko politisch nicht lange überlebt.[10] Wohl im Jahr 696 trat an seine Stelle Manasse. Nach Lage der Dinge kann er eigentlich nur ein Mann der Stadtpartei gewesen sein. Das Land hatte zu diesem Zeitpunkt ja keinerlei Möglichkeit, auf die Besetzung des Thrones Einfluß zu nehmen. Zu unserer Annahme paßt, daß Manasse eine bedingungslos assurtreue Politik verfolgte – verfolgt haben muß, denn anders hätte er sich nicht 55 Jahre an der Macht halten können. Zu derselben Schlußfolgerung gelangt man, wenn man von der Zeit *nach* Manasse ausgeht. Sein Nachfolger Amon war nur kurze Zeit auf dem Thron, da fiel er einer Verschwörung seiner ʿăbādîm zum Opfer.[11] Über die Hintergründe erfährt man nichts, doch lassen sie sich erahnen. Sofort nach dem Königsmord war nämlich der ʿam-hāʾāræṣ zur Stelle und zerschlug die Verschwörung. Sei es, daß Amon bereits von dieser Seite protegiert war und eben deshalb sterben, aber wiederum auch gerächt werden mußte, sei es, daß die Unruhen in der Hauptstadt nur einen willkommenen Anlaß zum Eingreifen boten, jedenfalls trat nun der ʿam-hāʾāræṣ

---

scheint mit seinen Warnungen freilich kein Gehör gefunden zu haben – auch und gerade nicht in Jerusalem.

[10] Man ist geradezu erstaunt, nicht von einer Verschwörung gegen ihn zu lesen. Es ist indes nicht auszuschließen, daß er noch zu seinen Lebzeiten die Herrschaft an seinen Nachfolger abtreten mußte.

[11] 2 Kön 21,23.

offen als Königsmacher auf. Josia, der neue König, dessen Mutter bezeichnenderweise aus Bozkat in der judäischen Schephela stammte, war gerade acht Jahre alt, das heißt, er bot seinen Gönnern die Gewähr, daß sie auf Jahre hinaus die Richtlinien der judäischen Politik selbst würden bestimmen können. Keinerlei Anzeichen deuten darauf hin, daß der erwachsene Josia die ihm damit vorgezeichnete Linie verlassen hätte, so daß man mit Fug und Recht sagen kann: Dieser König war ganz und gar ein Exponent des Landjudäertums. Nun ist aber die Ära Josias außenpolitisch gekennzeichnet durch die Loslösung Judas von der assyrischen Vorherrschaft.[12] Wenn umgekehrt Juda unter Manasse unlöslich an Assur gekettet war, dann aller Wahrscheinlichkeit nach gegen den Willen der Land- und mit Billigung der Stadtpartei.

Aber war dieser Dualismus damals überhaupt noch von Bedeutung? War das flache Land nicht von Manasses Königtum abgetrennt? Anfangs wohl, doch wird man damit zu rechnen haben, daß Manasse sehr bald die territoriale Integrität des Reiches Juda wiederherzustellen vermochte.[13] Weder hat die Philisterherrschaft in Juda tiefe Spuren hinterlassen, die auf lange Dauer deuten, noch läßt die Überlieferung erkennen, daß Josia sich noch um die Einheit Judas hätte bemühen müssen. Andererseits ist unwahrscheinlich, daß die Assyrer die abgetrennten Gebiete bereits Hiskia zurückgegeben hätten; das wäre zu riskant gewesen. Ganz anders, wenn sie Manasse diesen Erfolg verschafften. Gewiß wurde ihnen bald klar, welch einen treuen Gefolgsmann sie in ihm hatten.[14] Niemand konnte ihnen sicherer für ein ruhiges Juda garantieren als er. Dazu kam der alte Parteienzwist: Ein Stadt-Jerusalemer König, gestützt auf assyrische Waffen – das

---

[12] Natürlich ging damit Hand in Hand der Verfall der assyrischen Macht selber, doch ändert das nichts an der Grundrichtung unserer Überlegungen: Wäre 609 ein Manasse an der Macht gewesen, er wäre mit Necho gezogen, Assur zu retten!

[13] Wenn die deuteronomistischen Verfasser der Königsbücher keinen Wert darauf legen, der Nachwelt die Kunde von einer solchen Leistung ausgerechnet dieses Königs zu erhalten, ist das gut zu verstehen.

[14] Wenn sie nicht sogar bei seiner Inthronisierung aktiv mitgewirkt haben!

mußte jeden Landjudäer zum Haß reizen; Uneinigkeit aber macht den Gegner stark.

Abgesehen von solchen sozialpsychologischen Aspekten, brachte die mutmaßliche Unterstellung des Landes Juda unter die Herrschaft Manasses für die Jerusalemer Partei ganz handfeste Vorteile und für die Landjudäer entsprechende Nachteile mit sich. Wir blicken kurz zurück: In der Epoche der Jehu-Dynastie hatten die Israeliten und Judäer nachdrücklich demonstriert, daß sie eine politische Dominanz der Kanaanäer nicht dulden würden. Im 8. Jahrhundert gelang es daraufhin einer schmalen israelitischen und judäischen Elite, in gesellschaftliche Bereiche vorzudringen, die bislang einer im wesentlichen kanaanäischen Führungsschicht vorbehalten waren. Die bisherigen Machthaber mußten sich auf Machtteilung, wenn nicht auf sozialen Abstieg einrichten. Mit dem Einfall der Assyrer änderte sich das Bild schlagartig. Im Norden wurden mit dem Staatswesen auch die alten gesellschaftlichen Strukturen ausgelöscht. Im Süden, der den assyrischen Ansturm stark blessiert überstand, eröffnete sich der Jerusalemer Partei unversehens die Möglichkeit, mit Hilfe der auswärtigen Großmacht die lästige judäische Konkurrenz endgültig auszuschalten. Nach dem leichtsinnigen nationalistischen Höhenflug des Landjudäertums unter Hiskia, der in einer nationalen Katastrophe geendet hatte, brauchte man nur dem Sieger die eigene Partei als zuverlässigen Partner anzudienen – und man hatte Juda fester im Griff, als man es sich zuvor hätte träumen lassen können![15]

Die eigentlichen Herren in Juda waren selbstverständlich nicht die Jerusalemer Notabeln, sondern die Assyrer. Sie zogen aus dem Land Steuern und Naturalien, rekrutierten aus ihm Soldaten, gelegentlich wohl auch Sklaven. Doch weil Juda nicht assyrische Provinz, sondern ein nominell selbständiger (Vasallen-) Staat war, hatten die Betroffenen – in erster Linie die Landjudäer – unmittelbar nicht unter assyrischen, sondern unter Jerusalemer Beamten zu leiden, die das Geschäft der Assyrer besorgten –

---

[15] In manchem vergleichbar ist die Rolle der Könige und Tetrarchen Judäas in der Römerzeit.

und natürlich auch das eigene. Alles, was sie über die festgelegten Abgaben an Ninive hinaus erwirtschafteten, stand ihnen selbst zur Verfügung. Im Grunde nahmen die Herren von Jerusalem wieder ihre alten Führungspositionen in Verwaltung, Produktion und Handel ein, nur daß sie jetzt in den Assyrern mächtige Protektoren, aber auch ungemütliche und habgierige Oberaufseher hatten. So brachte die Kollaboration Manasses und der hinter ihm stehenden Kreise mit den Assyrern beiden Seiten erhebliche Vorteile. Für das judäische Land muß es eine schlimme Zeit gewesen sein.

Diesen Eindruck vermittelt ja auch der betreffende Abschnitt in den Königsbüchern, wenngleich er die sozio-ökonomischen Verhältnisse beiseiteläßt und sich ganz aufs Religiöse konzentriert. Dem langen Sündenregister des Manasse (2 Kön 21,1-9) dürfte historisch dies zu entnehmen sein, daß der König mit synkretistischer Tendenz in den Jerusalemer Tempelkult eingegriffen hat. Dazu war er als Mann der städtisch-jebusitischen Partei und als Assyrerfreund geradezu prädestiniert.[16] War der Reichstempel in der Hauptstadt ohnehin eine Einbruchsstelle für nicht genuin-jahwistisches Gedankengut, so mußte dieser Ort den Landjudäern vollends verdächtig und verderbt erscheinen, seit Manasse und seine geistlichen Handlanger ihn okkupiert hatten. Mißtrauen und Abneigung sollten dann in der josianischen Reform ihren Ausdruck finden.[17] Dies wiederum führt zu der Überlegung, daß das Deuteronomium – wann und wo immer es entstanden und überarbeitet worden sein mag – zur Zeit des Manasse als gewissermaßen subversives Buch in landjudäischen Kreisen umgelaufen sein könnte, ehe es dann unter Josia seine gewaltige öffentliche Wirkung erzielte.

So zeichnet sich für die erste Hälfte des 7. Jahrhunderts immer deutlicher das Bild einer ausbeuterischen Gewaltherrschaft der Jerusalemer über die landjudäische Partei ab. Die logische Entwicklung der gesellschaftlichen Verhältnisse ist unterbrochen,

---

[16] 2 Kön 21,3-5. – Ebenso glaubhaft ist, daß Josia, der Assyrerfeind, den mesopotamischen Gestirndienst wieder abgeschafft hat (2 Kön 23,4f.11).

[17] S. Kap. 10.

unversehens ist die Landbevölkerung als ganze wieder zur sozial deklassierten Unterschicht geworden.[18] Wie das im einzelnen ausgesehen hat, erfahren wir nicht. Doch können wir davon ausgehen, daß damals das ökonomische Grundprinzip des Kanaanäertums – Landwirtschaft, Handwerk, Handel möglichst unkontrolliert privater Initiative, das heißt de facto einer schmalen Schicht von Besitzenden zu überlassen – weitgehend und auf Kosten des Landjudäertums verwirklicht wurde. Merkwürdig ist nur, daß kein Protest dagegen zu vernehmen ist. Wie ist es möglich, daß in den Jahrzehnten *vor* Manasse Propheten gegen soziales Unrecht wettern, und daß *nach* Manasse dieses Thema etwa bei Jeremia und Ezechiel wieder aufklingt,[19] daß aber *unter* Manasse davon nichts verlautet? Es gibt dafür wohl nur eine plausible Erklärung: Der Aufschrei gegen die Unterdrücker, den es auch damals gegeben hat, ist unhörbar gemacht, ist erstickt worden. Nur so ist zu begreifen, wie Manasse mehr als ein halbes Jahrhundert herrschen und schließlich eines natürlichen Todes sterben konnte, während sein Sohn Amon ein bis zwei Jahre nach Machtantritt bereits ermordet wurde. Und urplötzlich taucht jetzt auch wieder der ʿam-hāʾāræṣ auf, der vorher offenbar in seiner Aktionsfähigkeit gelähmt war. Eine solche Bewegung ist nicht aus dem Boden zu stampfen; es muß im Juda des Manasse einen heimlichen, einen zwar verfolgten und in den Untergrund gedrängten, aber nie völlig liquidierten Widerstand gegeben haben.[20] Ein kurzes, schauerliches Zeugnis von Manasses Versuchen, diesen Widerstand doch zu brechen, gibt uns der bi-

---

[18] Ob es der *Jerusalemer* Unterschicht dabei besser ergangen ist, ist zweifelhaft.

[19] Z. B. Jer 5,1ff.26ff; 22,13ff; Ez 34,1ff.

[20] Der Zustand des assyrischen Imperiums mag ihn bestärkt haben: Seit 669 war das Zweistromland zwischen den Brüdern Assurbanipal und Šamaš-šum-ukīn aufgeteilt – ein Novum in der assyrischen Geschichte –, und in den Jahren 652-648 tobte zwischen beiden ein grausamer Krieg, in den schließlich die gesamte Region verwickelt war (vgl. *R. Labat*, Fischer Weltgeschichte IV, 1967, 88ff; *M. Dietrich*, Die Aramäer Südbabyloniens in der Sargonidenzeit (AOAT 7) Neukirchen 1970, 85ff); zwar siegte Assurbanipal, doch hat sich das Reich von diesen Kämpfen anscheinend nie wieder richtig erholt. Schon zwei Jahrzehnte später brach es geradezu rätselhaft schnell in sich zusammen.

blische Bericht: „Auch vergoß Manasse sehr viel unschuldiges Blut – bis er Jerusalem an den Rand gefüllt hatte" (2 Kön 21,16a). Die Mitteilung klingt ein wenig formelhaft und wird geschichtlich nicht konkret; dennoch ist sie deutlich genug und nach unseren Erkenntnissen auch vollauf glaubwürdig.

Wenn das Regime Manasses auch durch Terror seine Macht demonstrierte – es war in Wahrheit doch nur geliehene Macht. Die Assyrer waren das Rückgrat seiner Herrschaft, nicht etwa die wirtschaftliche, politische und militärische Überlegenheit der von ihm repräsentierten Gruppierung über den innenpolitischen Gegner. Insofern hatte sich die Situation gegenüber der vorstaatlichen und in gewisser Hinsicht auch der frühen Königs- und der Omridenzeit gründlich gewandelt. Damals dominierte das kanaanäische Element, weil es über ein gesellschaftliches System verfügte, das den Lebensbedingungen in Palästina angemessener und insofern fortschrittlicher war als das nomadisch-kleinbäuerliche der Israeliten. Kanaans jetzige Führungsrolle dagegen verdankte sich dem Schwert Assurs. Das heißt, der alte Dualismus, der an sich überholt war, wurde jetzt nur mehr gewaltsam und gewalttätig aufrechterhalten. Darin hatte Manasses Herrschaft (das Wort sei gewagt) etwas Faschistisches. Reiche dieser Art aber sind, weil sie nicht auf den tatsächlichen ökonomischen und sozialen Gegebenheiten basieren, nie von tausendjähriger Dauer. Manasses Regime stand und fiel mit der assyrischen Vormachtstellung in der altorientalischen Welt.

Dennoch oder gerade deshalb vollzog sich in Juda eine eigenartige Frontbildung. Nicht nur, daß die Parteien sich nun weiterhin unter ethnischen statt unter ökonomischen Gesichtspunkten definierten und konstituierten,[21] hinzu kam eine so bisher nicht dagewesene nationalistische Note: Opposition gegen die Jerusalemer Ausbeutung wurde identisch mit Widerstand gegen den

---

[21] Dazu hat mit Sicherheit auch die Jahwereligion beigetragen, indem sie dem von Ninive und Jerusalem bedrängten Judäertum zu einem wesentlichen Teil die Selbstdefinierung und Selbsterhaltung ermöglichte. Zeugnis dafür ist die Tatsache der Tradierung von Sammlungen und Schriften, die schon vor 700 entstanden waren, durch die Manasse-Zeit hindurch.

assyrischen Imperialismus. Wer ein freies, von assyrischer Grausamkeit und Unersättlichkeit befreites Juda wollte, gehörte auf die Seite des Landjudäertums. Damit stand man auch auf der Seite der sozial Unterprivilegierten – augenblicklich jedenfalls. Was würde geschehen, wenn der ungeheure Druck wiche, den die Assyrer und ihre Helfershelfer um Manasse ausübten? Vor der Katastrophe von 701, wir erinnern uns, war die Bevölkerung nicht nur in Jerusalem, sondern in ganz Juda in tendenziell zwei Klassen gespalten. Mußte diese Kluft nicht nach der Ära Manasse wieder aufbrechen?

10. Kapitel

Bis zum Untergang Judas

Unter den letzten Nachrichten über den Staat Juda, gleichsam aus seiner Todesstunde, finden sich zwei, die schlaglichtartig zeigen, wie unzeitgemäß und episodenhaft die absolute Herrschaft der Jerusalemer Partei und die Unterdrückung der gesamten Landbevölkerung unter Manasse gewesen ist. In 2 Kön 25,18f wird aufgezählt, welche Personen von den Babyloniern nach der Eroberung Jerusalems 587 v. Chr. sozusagen repräsentativ hingerichtet wurden: einige hohe Tempelbedienstete, einige wichtige Hofbeamte und – sechzig Mitglieder des ʿam-hāʾāræṣ samt dem für die Einberufung des ʿam-hāʾāræṣ zum Kriegsdienst verantwortlichen Beamten.[1] Schon das Zahlenverhältnis ist überraschend und weist darauf hin, daß das organisierte Landjudäertum das Rückgrat des Aufruhrs gegen Babylon war[2] und darum besonders schwer unter der Rache der Sieger zu leiden hatte. Noch bezeichnender ist, daß im gleichen Atemzug führende Persönlichkeiten der Jerusalemer Aristokratie genannt werden. Das heißt, im Kampf gegen die Fremdherrschaft scheinen sich die beiden innenpolitischen Lager, zumindest ihre Führer, diesmal einig gewesen zu sein.[3] Dem entspricht, daß die Babylonier, wie einst die Assyrer, nach der Unterwerfung abtrünniger Völker deren Oberschicht zur Rechenschaft zu ziehen pflegten. Wenn sie es 587 v. Chr. auch und gerade auf den ʿam-hāʾāræṣ abgesehen hatten, dann, weil das Landjudäertum – neben

---

[1] Dazu kamen die Prinzen, 2 Kön 25,7.

[2] Vgl. bereits im vorigen Kapitel unsere Erwägungen zu den innenpolitischen Hintergründen des ‚Befreiungskrieges‘ unter Hiskia kurz vor 700.

[3] Man wird davon ausgehen können, daß die Babylonier nicht wahllos, sondern gezielt zugegriffen haben. Zweifellos waren sie über die Verhältnisse im Innern Judas wohlinformiert; das ergibt sich aus ihrer Behandlung Jeremias und Gedaljas, Jer 39f.

der hauptstädtischen Elite – einen wesentlichen Teil der Oberschicht stellte. Kurz vor dem Untergang des Staates Juda war demnach zwischen den beiden judäischen Lagern das Kräfteverhältnis wiederhergestellt, das bereits in der Zeit vor Manasse, in der Epoche der klassischen Prophetie, erreicht war.

Dies wird bestätigt durch den zweiten, hier zu erwähnenden Beleg: Laut 2 Kön 25,12 blieben von der Deportation in den Osten Teile der *dallat ʿam-hāʾāræṣ*[4] verschont; ihnen wurde die Aufgabe zugewiesen, im unterworfenen Land Weinberge und Äcker[5] zu bestellen.[6] *dallāh* ist ein abstraktes Kollektivum, abgeleitet von *dal*, „gering, arm"[7]. Es gibt mithin in Juda, genauer: innerhalb des *ʿam-hāʾāræṣ*, eine deutlich als solche erkennbare soziale Unterschicht. Die Babylonier wußten von dieser Klassenstruktur und machten entsprechende Unterschiede. Die Oberschicht sowohl in der Stadt Jerusalem wie im Land Juda traf Verfolgung, Verschleppung, faktisch auch Enteignung und in einer Reihe von Fällen Liquidierung. Vergleichsweise unbehelligt blieben dagegen – gewiß große –[8] Teile der armen Landbevölkerung: wohl, weil sie aus Mangel an Macht und Einfluß die antibabylonische Bewegung kaum gestützt haben konnten, vor allem aber, weil ein menschenleeres Juda der Besatzungsmacht wenig Nutzen

---

[4] *ʿam* dürfte mit LXX^L und dem Targum einzufügen sein, vgl. 2 Kön 24,14; sollte in MT kein Textfehler vorliegen (wofür u. U. Jer 52,16 spricht), änderte das in der Sache nicht viel.

[5] Die Wurzel *jgb* ist in der Bedeutung unsicher. In KBL ist „Fronarbeit" vorgeschlagen, doch vgl. dagegen *Schwarzenbach*, Die geographische Terminologie im Hebräischen des Alten Testaments, 1954, 90f. *Gesenius-Buhl*, HAL und W. *Rudolph*, Jeremia (HAT I/12) Tübingen ²1958, 296, plädieren übereinstimmend für die oben wiedergegebene Deutung.

[6] Es ist nicht ganz klar, ob es sich dabei um eine Landverteilung, also einen von den Siegern inszenierten sozialrevolutionären Akt handelt, oder um eine Maßnahme, die der Besatzungsmacht das Eintreiben von Steuern und Abgaben, also die weitere Ausbeutung der nach wie vor armen und unfreien Bevölkerung, ermöglichen sollte. Die geschichtliche Logik spricht eher für das zweite.

[7] Siehe HAL 213.

[8] Es heißt *middallat*, d. h. nicht die gesamte *dallāh* durfte im Lande bleiben. Doch die relativ geringe Gesamtzahl von Deportierten (vgl. *Rudolph*, Jeremia 299f) läßt nicht an eine starke Dezimierung der Unterschicht denken.

gebracht hätte.[9] Fest steht jedenfalls, daß es damals keine sozial homogene judäische Landbevölkerung gab, die geschlossen den Patriziern von Jerusalem gegenübergestanden hätte bzw. von ihnen beherrscht worden wäre; dieser Zustand, den Manasse mit Terror und assyrischer Unterstützung erzwungen hatte, war von Teilen des ʿam-hāʾāræṣ durchbrochen worden, die jetzt zur Führungsschicht des Landes gehörten.

Die beobachtete Verschiebung ist keineswegs erst kurz vor dem Ende des Staates Juda, etwa nach der ersten babylonischen Strafexpedition im Jahre 598, eingetreten.[10] Gerade damals nämlich trafen die Babylonier schon einmal dieselbe Unterscheidung, von der ihr Handeln auch 587 geleitet war: Außer dem König und seiner nächsten Umgebung (2 Kön 24,12.15) ließ Nebukadnezar „ganz Jerusalem und alle Beamten und alle freien Kriegsleute (10000 Verbannte) und alle Schmiede und Schlosser deportieren; niemanden ließ er übrig – außer der *dallat ʿam-hāʾāræṣ*" (24,14). Wieder ist die soziale Struktur klar zu erkennen: auf der einen Seite die Unterschicht des ʿam-hāʾāræṣ, auf der anderen der Hof mitsamt der Beamtenschaft,[11] die Jerusalemer Elite,[12] dazu der handwerkliche Mittelstand, namentlich potentielle Waffenhersteller, und – eine beträchtliche Anzahl[13] *gibbôrê haḥajil*, das heißt wehrfähige freie Männer, die in der Lage waren, für ihre militärische Ausrüstung selbst aufzukommen;[14] nach Lage der Dinge müssen das, zumindest größtenteils, Landjudäer gewesen

---

[9] Vgl. Anm. 6.

[10] Auf diesen Gedanken könnte man kommen, wenn man in Erwägung zieht, daß damals die Südregion vom Staat Juda abgetrennt wurde (vgl. Jer 13,18f und dazu *M. Noth*, Geschichte Israels, Göttingen ⁵1963, 256, unter Berufung auf *A. Alt*); daraufhin könnte ein Flüchtlingsstrom in den Rumpfstaat, faktisch also nach Jerusalem, eingesetzt und die dortigen Verhältnisse gründlich verändert haben.

[11] Die Priester (z. B. Ezechiel!) sind hier nicht eigens erwähnt.

[12] Aus eher landjudäischer Sicht ist das „ganz Jerusalem"!

[13] Die „Zehntausend", die sich wohl nur auf die *gibbôrê haḥajil* beziehen, sind zweifellos eine „runde" Zahl und zu hoch gegriffen, wie schon die niedrigeren (und auch noch runden!) Zahlen in V.16 erkennen lassen.

[14] S. oben Kap. 8 Anm. 4.

sein,[15] und zwar die Wohlhabenderen unter ihnen. Sie scheinen die Hauptlast des antibabylonischen Kampfes und dann auch der babylonischen Strafmaßnahmen getragen zu haben.[16] Welche ökonomische und politische Kraft diese landjudäische Oberschicht besessen haben muß, zeigt sich daran, daß sie sich in relativ kurzem Zeitabstand zweimal an Unabhängigkeitsbewegungen gegen Babylon führend beteiligen konnte.[17]

Innerhalb von vier Jahrzehnten – vom Tod Manasses bis zum Ende des 7. Jahrhunderts – hat sich aus einem von Jerusalem her gewaltsam unterdrückten und zur Unterschicht degradierten Landjudäertum eine in sich geschichtete Gesellschaftsformation entwickelt, deren Elite schließlich in erstaunlicher Stabilität die politisch bestimmende Macht in Juda verkörperte. Die Voraussetzungen für beides, den Aufschwung und die soziale Differenzierung, wurden durch den Übergang der Macht von Manasse auf Josia geschaffen. Josia, so sahen wir bereits, war ein Protégé, fast ein Geschöpf des Landjudäertums. Als gerade 8jähriger wurde er vom ʿam-hāʾāræṣ zum König eingesetzt, seine Mutter stammte aus West-Juda, seine Außenpolitik war gegen Assur, die Schutzmacht des Manasse-Regimes, gerichtet. In die damit sich abzeichnenden Linien fügen sich nahtlos auch die übrigen, uns bekannten politischen Intentionen und Entscheidungen dieses Königs ein.

Militärpolitisch hat Josia die alte Institution des Heerbanns wie-

---

[15] Das widerspricht nicht der in Kap. 8 getroffenen Feststellung, daß der Terminus *gibbôrê haḥajil* gegenüber dem Parteiendualismus an sich indifferent ist; freilich, im Nordreich konnte er Kanaanäer wie Israeliten meinen, während die Herrenschicht in Jerusalem sehr schmal und deswegen mit dem Begriff *śārîm* (2 Kön 24,14) wohl schon weitgehend abgedeckt war.

[16] In diesen Zusammenhang gehört nicht nur die Deportation, sondern – genau wie einst zur Zeit Hiskias – die Abtrennung landjudäischer Gebiete, vgl. Anm. 10.

[17] Man braucht gar nicht daran zu denken, daß in dem Jahrzehnt dazwischen aus der *dallāh* eine neue Oberschicht aufgestiegen wäre. Wahrscheinlicher ist, daß die einmal errichteten Strukturen sich im wesentlichen durchhielten, daß also bald jüngere Mitglieder der mächtigen Familien in die im Jahr 598 freigewordenen Führungspositionen nachrückten.

der ins Leben gerufen.[18] Seit der Großen Richter und Sauls Tagen war dies eine spezifisch israelitische (im Sinne von „nichtkanaanäische") Einrichtung gewesen, derer sich namentlich die Könige des Nordreichs bedienten. Daneben gab es das kleinere, aber schlagkräftige, weil gut ausgerüstete und trainierte Berufsheer, das sich vornehmlich aus den Kanaanäerstädten und dem Ausland rekrutierte. Das Volksheer hingegen, das nur von Fall zu Fall einberufen wurde, war die militärische Organisationsform der genuin israelitischen Verbände.[19] Beide Truppenteile wurden im Kriegsfall zum *ṣābā'* zusammengefaßt und unterstanden dem *śar-haṣṣābā'*. Nach dem Untergang des Nordreichs und vollends im Juda Manasses spielte der Heerbann keine Rolle mehr. Nur in der Erinnerung, vor allem in spezifisch nordisraelitischer Tradition, wie sie sich auch im Deuteronomium niedergeschlagen zu haben scheint, lebte dieses Instrument der alten Jahwekriege fort – bis Josia ihm wieder politische Realität verlieh. Natürlich bedeutete ein solcher Schritt in erster Linie eine Aufwertung des Landjudäertums, des *ʿam-hāʾāræṣ*[20].

Sozialpolitisch scheint Josia zumindest kein Verfechter der kanaanäisch-hierarchischen, sondern eher ein Anhänger der israelitisch-fraternalistischen Gesellschaftsordnung gewesen zu sein. Das Königsbuch bringt keine direkten Nachrichten darüber,[21] doch gibt es indirekte Hinweise. Das Deuteronomium – der Gesetzeskodex, dem Josia Geltung verschafft hat –[22] ist getragen von einem ungemein hohen und strengen Sozialethos.[23]

---

[18] Das geht vor allem aus 2 Kön 25,19 sowie aus Dtn 20,5ff hervor. Vgl. zum Ganzen C. *Junge*, Der Wiederaufbau des Heerwesens des Reiches Juda unter Josia (BWANT IV/23), Stuttgart 1937.

[19] Entsprechend hieß es *ʿam* – der alte Verwandtschaftsbegriff.

[20] Man kann sogar erwägen, ob dieser Terminus nicht damals geradezu den Beiklang „Heerbann des Landes (Juda)" bekommen hat; dafür ließe sich auf die Abfolge der Ereignisse in 2 Kön 23,30 hinweisen.

[21] Die Chronik erwähnt immerhin seine *ḥăsādîm*, seine humanen Taten (2 Chr 35,26).

[22] Auf die Bestreitung dieser alten und immer noch einleuchtenden These braucht hier nicht eingegangen zu werden.

[23] S. namentlich Dtn 15 und 21-25.

Wie mit anderen, so wird der König auch mit diesen Intentionen des Gesetzbuchs in Übereinstimmung gewesen sein. Das gleiche Bild ergibt sich auch von ganz anderer Seite. Der Prophet Jeremia attackiert einmal den König Jojakim (608-598 v. Chr.), weil er sich, ohne etwas dafür zu bezahlen, einen prunkvollen Palast bauen läßt – eine eigennützige Selbstherrlichkeit, die sich Monarchen im ganzen alten Orient und so auch in Kanaan und von da aus schließlich auch in Israel erlaubten. Jeremia aber fährt fort: „Dein Vater (Josia), hat er nicht auch gegessen und getrunken und es sich wohl sein lassen[24] – und dennoch Recht und Gerechtigkeit geübt? Fürwahr, er hat den Elenden und Armen Recht verschafft! Heißt das nicht, mich erkennen? Spruch Jahwes" (Jer 22,15f). Es geschieht ganz selten, daß einer der sogenannten Unheilspropheten die Kriterien, nach denen sonst das (a)soziale Verhalten der jeweiligen Zeitgenossen bemessen und verurteilt wird, einmal für positiv erfüllt erklärt. Unterstellt selbst, Jeremia habe in der Polemik gegen Jojakim und um eines erwünschten scharfen Kontrastes willen etwas übertrieben, so bleibt doch festzuhalten, daß Josia in landjudäischen, sogar in streng-prophetischen Kreisen den Ruf eines integren und gerechten Herrschers genoß.[25] Als solcher hat er, wie es scheint, ein Auseinanderbrechen des ʿam-hāʾāræṣ in eine privilegierte und eine unterprivilegierte Klasse noch verhindern, zumindest in Grenzen halten können; denn der Begriff dallat ʿam-hāʾāræṣ und der damit bezeichnete soziale Sachverhalt begegnen erst in der nachjosianischen Zeit. So gewiß ein solches Zurückdämmen gesellschaftlicher Tendenzen einer ungewöhnlich starken Persönlichkeit bedurfte, so klar muß doch auch in Rechnung gestellt werden, daß die Deklassierung und Uniformierung des gesam-

---

[24] Zur Textanordnung vgl. LXX und BHK, zur Aussage von V.15b R. *Smend*, Essen und Trinken – ein Stück Weltlichkeit des Alten Testaments, in: Festschr. W. Zimmerli, Göttingen 1977, 446-459, speziell 446.452-454.

[25] Wie weitgehend die beiden Beurteilungsebenen – die gesetzlich-deuteronomische und die prophetische – hier zusammenfallen, ergibt sich aus dem Vorkommen des von Jeremia verwendeten Begriffspaares ʿānî und ʾæbjôn (V.16a) auch in Dtn 15,11; 24,14; vgl. auch die Leitwortfunktion von ʾæbjôn in Dtn 15.

ten Landjudäertums in der Ära Manasses noch einige Zeit nachgewirkt und die Grundlage für Josias Integrationsbestrebungen gebildet haben werden.

In besonderer Weise ist der Name Josia freilich mit den religionspolitischen Maßnahmen verbunden, von denen in 2 Kön 23 berichtet wird. Sie zielen auf Kulteinheit und Kultreinheit. Reinheit: das betrifft zunächst die Unterwanderung des Jerusalemer Tempelkultes durch mesopotamische, vor allem durch Astralgottheiten, deren Verehrung sich in der Manasse-Zeit infolge der bedingungslosen Auslieferung an Assur breitgemacht hatte; das betrifft aber auch das (vielleicht schon seit Jahrhunderten anhaltende) Einsickern und Eindringen jebusitisch-kanaanäischer Religionsformen in den Kult des Reichsheiligtums.[26] Der genuin israelitische bzw. landjudäische und anti-jerusalemische Impetus dieses Vorgehens gegen die Überfremdung der Jahwereligion ist – speziell nach dem im vorigen Kapitel Gesagten – sofort ersichtlich. Der ʿam-hāʾāræṣ und sein König fühlten sich dazu herausgefordert und auch in der Lage, ihre national-religiösen Vorstellungen, möglicherweise in einer so noch nie dagewesenen reflektierten, geläuterten und radikalisierten Ausformung, nun endlich auch im kultischen Leben der Hauptstadt durchzusetzen.[27] Der andere Aspekt, die Einheit des Kultes, seine Zentralisierung eben in Jerusalem, kann auf den ersten Blick verwirrend wirken: Ist das nicht eine ungeheure Aufwertung der alten Jebusiterstadt?[28] Gewiß, aber erst, nachdem diese von allem Jebusitischen gründlich gereinigt worden war. Erst dadurch, erst unter Josia wurde Jerusalem wirklich zu einer *judäischen* Stadt, zur

---

[26] S. oben Kap. 9 Anm. 16.

[27] Jerusalem umfaßte als Stadtstaat nicht nur das reine Stadtgebiet, so daß Nachrichten über Säuberungsmaßnahmen auch außerhalb der Mauern (2 Kön 23,10.13f) durchaus glaubhaft sind.

[28] Auf ganz eigene Weise beantwortet diese Frage *W. E. Claburn* (The Fiscal Basis of Josiah's Reforms: JBL 92, 1973, 11-22): Josia nahm die Aufwertung des stark paganisierten Jerusalem in Kauf, weil er dadurch wirtschaftliche Vorteile hatte; die Abgaben an den König seien nun nicht mehr an die Landleviten entrichtet worden, sondern in Form von Geld direkt an den königlichen Hof.

Hauptstadt *Judas*.[29] Die kanaanäische Gefahr war gebannt; nun konnte alles, was die Stadt Davids an Würde, Gewicht und Macht in sich trug, schadlos dem Wohl der gesamten Nation dienstbar gemacht werden. Und die Judäer brauchten beim Aufbau eines starken Staates, erst recht beim Kampf um die Restituierung des davidischen Reichs, die Stadt, *ihre* Hauptstadt Jerusalem als Zentrum.[30] Ein selbstbewußt gewordener ʿam-hāʾāræṣ hatte ein einiges Juda geschaffen; der Stadtstaat Jerusalem war endlich voll integriert, der alte Januskopf beseitigt.

So schien es. Im Jahr 609 fand Josia unerwartet den Tod bei dem Versuch, Pharao Necho den Weg nach Norden zu verlegen. Der Ägypter wollte verhindern, daß die Babylonier das morsche Assyrerreich völlig zerschlugen und selbst dessen Erbe antraten. Natürlich hatte er dabei Josia, der sein Land eben aus der Abhängigkeit von Assur gelöst hatte, zum Feind. Doch er hatte leichtes Spiel mit ihm: Er „tötete ihn bei Megiddo, als er ihn sah", heißt es lapidar in 2 Kön 23,30. Die Nachricht ist derart knapp, fast barsch, daß man mißtrauisch werden möchte.[31] Sollte es in Juda Kreise gegeben haben, denen Josias Tod durchaus gelegen kam, die ihn – vielleicht nicht mit bewirkten, aber seine näheren Umstände zu verschleiern wußten?[32] Wie dem

---

[29] Sollte *R. Smend* (Die Bundesformel [ThSt 68] Zürich 1963, 6ff) mit seiner These recht haben, daß die feierliche Proklamation von Dtn 26,16-19 ihren historischen Ort in der Josiazeit hatte (vgl. 2 Kön 23,1-3), dann wäre der Inhalt dieses „Bundes" nicht zuletzt die feste und restlose „Bindung" Jerusalems an Juda und Jahwe (wie er in Juda verehrt wurde) gewesen.

[30] Hiermit mag es zusammenhängen, daß die Priester der stillgelegten Landheiligtümer nicht, wie in Dtn 18,1-8 vorgesehen, den Priestern am Jerusalemer Tempel gleichgestellt wurden: Die gewachsenen Strukturen sollten reformiert, aber nicht zerstört werden. Bemerkenswerterweise wird das die gesamten Neuerungen in Gang bringende Gesetzbuch denn auch gerade im Jerusalemer Tempel gefunden (2 Kön 22).

[31] Vgl. den Titel des Aufsatzes von *S. B. Frost* in JBL 87 (1968) 369-382 „The Death of Josiah: a Conspiracy of Silence". Es wird hier aber keinerlei Konspirationstheorie entwickelt.

[32] *Herrmann*, Geschichte Israels 333, denkt im Gefolge *A. Alts* an „eine Art Überrumpelung" Josias und seiner Leute durch die Ägypter in unübersichtlichem Gelände.

auch sei, der vom ʿam-hāʾāræṣ umgehend auf den Thron gehobene Josia-Sohn Joahas[33] wurde schon nach drei Monaten von den Ägyptern abgesetzt und verschleppt; an seiner Stelle gelangte Eljakim, vom Pharao umbenannt in Jojakim,[34] an die Macht.[35] Damit hatte sich das Blatt noch einmal überraschend gewendet; denn Jojakim war allem Anschein nach kein Landjudäer. Das zeigt sich allein schon daran, daß er ein Günstling eben des Pharao war, der Josia und den auf ihn gerichteten Hoffnungen ein so plötzliches Ende bereitet hatte. Das wird vollends greifbar, wenn man den Preis in Rechnung stellt, den Jojakim seinen ägyptischen Gönnern bezahlt hat: 100 Talente Silber und 10 (?)[36] Talente Gold, die „dem Land" von Necho als Tribut auferlegt wurden (2 Kön 23,33). Die Formulierung ist sehr genau zu nehmen, ließ doch laut 2 Kön 23,35 Jojakim „*das Land* schätzen, um dem Pharao das Geld geben zu können; bei jedem, je nach seiner Einschätzung, trieb er das Silber und das Gold ein, vom[37] ʿam-hāʾāræṣ, um es dem Pharao Necho zu geben". Der Sachverhalt erinnert in manchem an die Manasse-Zeit: Mit Hilfe der gerade dominierenden auswärtigen Macht gelingt es einem König, das Übergewicht des Landjudäertums zu brechen und es der Ausplünderung sowohl durch die Schutzmacht als sicher auch durch die eigene Klientel in Jerusalem auszusetzen. Auf der anderen Seite aber berücksichtigt Jojakim die sozialen Unterschie-

---

[33] Seine Mutter ist, wie die des Josia, Landjudäerin!

[34] Die Wandlung von einem, den El, zu einem, den Jahwe „aufrichtet", macht gerade in unserem Zusammenhang stutzig: Fast sieht es so aus, als sollte da einem den Landjudäern verdächtigen König rasch ein jahwistisches Mäntelchen umgehängt werden.

[35] Die Thronwechsel von Josia zu Joahas und weiter zu Jojakim folgen so kurz aufeinander, daß man fragen kann, ob Joahas und Jojakim nicht eine Art Gegenkönige gewesen sind: Prätendenten zweier verschiedener politischer Linien, von denen die eine sich dank ägyptischer Unterstützung schließlich durchzusetzen vermochte.

[36] Ich ergänze die Zahl nach LXX^L und Peschitta.

[37] Die Konstruktion ist nicht durchsichtig, doch berechtigt der Eindruck der Überladenheit nicht dazu, willkürlich einen oder mehrere Satzteile zu streichen (so BHK). Die leichteste Änderung dürfte noch die oben vorausgesetzte Ergänzung eines *Mem* vor dem ʾæt sein, vgl. BHS.

de, die innerhalb des ʿam-hā'āræṣ bestehen, genauer: Er läßt sie, mittels einer allgemeinen Schätzung,[38] allererst aktenkundig machen. Solche Offenlegung von Einkünften und Bilanzen ist natürlich geeignet, latente soziale Spannungen zu verschärfen. Vor allem aber lieferte sie ein starkes Druckmittel gegen die führenden Familien des Landes: Man konnte sie ja nicht nur beim Aufbringen dieses einen Tributes an Ägypten besonders bluten lassen, sondern auch künftig beim Erheben der laufenden Staatsabgaben.

Nicht zuletzt dieser soziale Sprengstoff, den Jojakim in die Reihen des Landjudäertums trug, dürfte es gewesen sein, der zu dem Erscheinungsbild des ʿam-hā'āræṣ um die Wende zum 6. Jahrhundert führte: uneins, auseinanderdividiert in eine Unter- und eine Oberschicht, teilweise mitverantwortlich für die lebensgefährliche antibabylonische Politik Jojakims. Eine judäische Elite hat sich offenbar unter Druck setzen und korrumpieren lassen. Darauf dürfte die Anklage Jeremia 5,26-28 zu beziehen sein:[39]

Es finden sich in meinem Volk Gottlose,
  die das Netz knüpfen,
die wie Vogelfänger Fallen stellen,
  um Menschen zu fangen.
Wie ein Korb mit Vögeln voll ist,
  so sind ihre Häuser voll Betrug:
Auf solche Art sind sie groß und reich geworden,
  fett und dick.
Sie unterstützen den Bösewicht in seiner Sache.
  Um das Recht ist's ihnen nicht zu tun,
um das Recht der Waise, ihr zum Sieg zu verhelfen;
  und sie sind nicht der Armen Anwälte.

Zieht man zum Vergleich die inhaltlich verwandte, aber gegen Jerusalem gerichtete Rede Jer 5,1-6 heran, dann wird offenkun-

---

[38] Daß sie eigens erwähnt und stark hervorgehoben wird, verrät ihre einschneidende Bedeutung. Möglich, daß unter Josia die Fiktion der Gleichheit aller Mitglieder der judäischen Volksgemeinschaft aufrechterhalten und darum auf die Feststellung faktischer Unterschiede verzichtet wurde.
[39] Übersetzung des z. T. entstellten Textes nach *Rudolph*, Jeremia, HAT.

dig, daß hier ein anderer Adressatenkreis angesprochen ist: eben die Führungsschicht des ʿam-hāʾāræs,[40] die inzwischen mit den Herren von Jerusalem um die einträglichen Pfründen im Lande Juda wetteifert. In die gleiche Richtung weist der schon erwähnte Jeremia-Spruch über Jojakim und Josia: Jojakim hat im sozial-ökonomischen Bereich wieder ‚kanaanäische' Verhältnisse eingeführt, die Errungenschaften der Reform Josias waren dahin. Es nimmt nicht wunder, daß der Mann, der das alles öffentlich feststellte, den Haß des Königs und der von ihm begünstigten Kreise auf sich zog.[41]

Doch zu einer neuen Diktatur à la Manasse kam es nicht. Zum einen gehörten zur Oberschicht, anders als damals, jetzt auch Landjudäer, die sich an einer ungezügelten Terrorherrschaft über das Land Juda wohl nicht hätten beteiligen mögen.[42] Zum anderen waren die internationalen Verhältnisse unstabil geworden. Die ägyptische Vorherrschaft in Syrien-Palästina blieb ein kurzes Zwischenspiel. Schon vier Jahre nach Josias Tod wurde Necho in der Schlacht bei Karkemisch (605 v. Chr.) von Nebukadnezar geschlagen. Jojakim mußte sich nun mit babylonischen Oberherren abfinden[43] – freilich nur für drei Jahre;[44] danach hielt er es wieder mit den Ägyptern. Offenbar war unterdessen die Liaison mit der Führung des ʿam-hāʾāræṣ so fest geworden, daß diese das Manöver mitvollzog. Es ist dabei allerdings zu bedenken, daß es den bisherigen Erzfeind, Assur, inzwischen nicht

---

[40] Darauf weisen die Begriffe ʿammî (V.26) und ʾæbjônîm (V.28) sowie die Verbformen in V.27b.28aα, die eine neue, gerade erst eingetretene Entwicklung beschreiben.

[41] Jer 36,22ff, vgl. auch 26,1ff und vor allem 26,20ff (Uria „weissagte gegen diese Stadt und gegen dieses Land, ganz wie Jeremia", V.20). Daß Jeremia – Sproß des uralten judäischen Priestergeschlechts von Anatot – landjudäisch eingestellt war, braucht nicht betont zu werden. Nicht umsonst wird er in 26,18f mit Micha von Moreschet verglichen.

[42] Damit mag es zusammenhängen, daß Jeremia in kritischen Situationen wiederholt Fürsprecher selbst in höchsten Hofkreisen fand: 26,16ff; 36,9ff.

[43] Vielleicht waren ihm dabei die traditionell guten Beziehungen des Landjudäertums zu der neuen Großmacht im Osten (vgl. schon 2 Kön 20,12ff und die außenpolitischen Ambitionen Josias) von Nutzen.

[44] 2 Kön 24,1.

mehr gab, daß vielmehr Babylon sozusagen seine Rolle übernommen hatte. Insofern ist es gut begreiflich, daß sich der unter Manasse gestählte und unter Josia erfolgreiche Freiheitswille des Landjudäertums jetzt gegen die Babylonier kehrte. So stellte sich auch außenpolitisch Interessenidentität mit dem proägyptisch orientierten Jerusalemer König her. Es gab indes auch eine Gegenströmung: die Armen im Lande, denen nichts daran lag, um des Nationalstolzes und wirtschaftlicher Vorteile ihrer Oberen willen in einen Krieg gegen Babylonien getrieben zu werden. Ihnen lieh Jeremia seine Stimme (2,36):

Wie leicht fällt es dir, deinen Weg zu wechseln!
Auch von Ägypten wirst du enttäuscht,
wie du von Assur enttäuscht wurdest.

Assur hat keinen festen Halt geboten – auch Ägypten wird ihn nicht bieten: das kann sich nur auf die großmachthörige Politik des Manasse einerseits und des Jojakim andererseits beziehen.[45] Das eine wird so wenig von Bestand sein, wie es das andere war, sagt Jeremia; die Babylonier werden mit Ägypten genauso fertigwerden, wie sie mit Assyrien fertiggeworden sind.
So war es auch. Nachdem Nebukadnezar das tributunwillige Juda eine Zeitlang durch Einfälle kleinerer militärischer Kontingente an sich hatte erinnern lassen, und die Ägypter dagegen nichts unternahmen,[46] schickte er im Jahr 598 ein Belagerungsheer nach Jerusalem. Jojakim war kurz zuvor gestorben, so daß sein Sohn und Nachfolger Jojachin seine Rechnungen begleichen mußte. Er übergab die Stadt freiwillig, sich selbst und seine engste Umgebung lieferte er dem Großkönig aus, der ihn nach Babylonien verbannte; es war dies wohl die einzige Möglichkeit, halbwegs glimpflich davonzukommen.[47] Deportiert wurden

---

[45] So auch *Rudolph,* Jeremia z. St.
[46] 2 Kön 24,2.7.
[47] Im übrigen scheint Jojachin durchaus die politische Linie seines Vaters fortgesetzt zu haben: Seine Mutter war echte Jerusalemerin (vgl. ihren und ihres Vaters Namen, 2 Kön 24,8), und Jeremia hat sich weder vor noch nach seiner

außerdem einige Tausend Soldaten[48] und Handwerker, die Führungsschicht von Jerusalem und – „die Mächtigen des Landes"[49], das heißt doch wohl: die Führer des ʿam-hāʾāræṣ. Zurück blieb, wovon oben schon die Rede war, die dallat ʿam-hāʾāræṣ. Nebukadnezar ließ bei der Neubesetzung des Thrones die seit Jojakim herrschende Linie des Davidshauses unberücksichtigt und griff auf die Generation der Josia-Söhne zurück. Der Mann, den er auf den Schild heben ließ und von dem er sich anscheinend einen Wandel in der judäischen Politik versprach, Mattanja, war aus der Verbindung des großen landjudäischen Königs mit einer Frau aus Libna, in der judäischen Schephela, hervorgegangen. Sicher nicht absichtslos erhielt er den Thronnamen Zedekia: eine Kombination bzw. Identifikation des Altjerusalemer Stadtgottes mit dem judäisch-israelitischen Volksgott. Die Stadt Jerusalem und das Land Juda sollten unter landjudäischer Führung, aber vereint und einig, einen treuen Vasallenstaat Babylons abgeben. Einige Jahre war das tatsächlich der Fall. Doch dann etablierte sich die antibabylonische Fronde aus Mächtigen am Jerusalemer Hof und Teilen des ʿam-hāʾāræṣ aufs neue. Es gelang ihr, den König von sich abhängig zu machen.[50] Wieder war es Jeremia, der vehement und unbeirrbar gegen die selbstmörderische nationalistische Politik ankämpfte – und dafür um ein Haar mit dem Leben bezahlt hätte. Ausrichten konnte er nichts, aber die Babylonier entschädigten ihn nach der Eroberung Jerusalems mit einer Art Vorzugsbehandlung: Er durfte wählen, ob er mit der Oberschicht ins Exil gehen oder mit der dallat ʿam-hāʾāræṣ im Lande

---

Verschleppung bemüßigt gefühlt, ihm und seinen Anhängern etwas Tröstliches zu sagen (Jer 22,24.29f; beachte die Hervorhebung der Königsmutter in der Drohung V.24!).

[48] Sicher zur Verwendung im babylonischen Heer!

[49] ʾêlê hāʾāræṣ (2 Kön 24,15 Qerē, vgl. – im gleichen Zusammenhang! – Ez 17,13); wörtlich: „die Widder".

[50] In Jer 37,1 berichtet die ‚Leidensgeschichte Jeremias' von der Einsetzung Zedekias durch Nebukadnezar, um dann fortzufahren: „er und seine Diener (ʿăbādîm) und der ʿam-hāʾāræṣ hörten nicht auf Jeremia" (worauf laut R. Smend, Biblische Zeugnisse. Literatur des alten Israel, Frankfurt 1967, 184, die Geschichte vom babylonischen Joch Jer 27f folgt). Genau das ist die unheilige Allianz, die Juda in die Katastrophe von 587 stürzte.

bleiben wollte. Jeremia entschied sich – nach allem, was er zuvor getan und erlitten hatte, völlig folgerichtig – für das zweite.[51] Es ist eine bittere Ironie des Schicksals, daß er, mitsamt dem Kreis um den neuen Statthalter Gedalja, ausgerechnet nach Ägypten verschlagen wurde, wo sich seine Spur verliert.

Wir brechen unseren Gang durch die Geschichte Israels ab: nicht, weil Israel fortan ohne soziale Spannungen gelebt hätte,[52] sondern weil sie ab jetzt nicht mehr an dem alten Gegensatz von Israel und Kanaan aufbrachen. Der war mit dem Zusammenbruch des Jahres 587 in der Tat beseitigt. So unterschiedliche Ereignisse wie die Reform Josias, die antibabylonischen Kämpfe und die Auslöschung des judäischen Staatswesens trugen zu seiner Einebnung bei. Nach dem Exil entstand in der persischen Provinz Juda eine jahwegläubige Kultgemeinde – kein geeigneter Wurzelboden für ein erneutes Aufkeimen kanaanäischen Erbes. Doch Kanaan war nicht einfach verschwunden. Es war in Israel, auch in der Religion Israels aufgegangen.[53] Und es fand Nachfolger: in den volksfremden Elementen, die aufgrund der überregionalen Interessen der Großmächte in Palästina heimisch wurden, und namentlich in den Samaritanern, auf die sich die ehedem antikanaanäischen Aversionen alsbald übertrugen. Ja, Israels einzigartige Fähigkeit, sich gegen alles ihm Wesensfremde abzugrenzen und so über Jahrtausende hinweg und unter ungünstigsten Bedingungen seine Identität zu bewahren, dürfte hier seine Wurzel haben. So war es das lange und zähe Ringen mit Kanaan, in dem Israel stark und sicher, aber auch wendig und demütig genug wurde, um seiner uralten Berufung gerecht zu werden: das auserwählte Volk des Gottes Jahwe zu sein. Das ist es bis auf den heutigen Tag.

---

[51] Jer 40,1-6.

[52] Spätestens mit der Rückkehr von Exulanten (also von Angehörigen der einstigen Oberschicht) müssen sie wieder aufgelebt sein; Texte wie Neh 5 legen dafür Zeugnis ab.

[53] Namentlich in den Psalmen wurde kanaanäisches Kulturgut von Israel durch die Zeiten getragen.

Abkürzungen

aaO	am angeführten Ort (bibliograph. Angabe weiter oben)
ABLAK	M. Noth, Aufsätze zur biblischen Altertumskunde, I, II, Neukirchen 1971
AfO	Archiv für Orientforschung
AOAT	Alter Orient und Altes Testament
AR	Archiv für Religionswissenschaft
Art.	Artikel
BA	The Biblical Archeologist
BASOR	The Bulletin of the American Schools of Oriental Research
BEvTh	Beiträge zur Evangelischen Theologie
BHH	Biblisch-historisches Handwörterbuch, Hg. B. Reicke – L. Rost, I–III, Göttingen, 1962–1966
BHK	Biblia Hebraica, Hg. R. Kittel
BHS	Biblia Hebraica Stuttgartensia, Hg. K. Elliger – W. Rudolph
BWANT	Beiträge zur Wissenschaft vom Alten und Neuen Testament
BZAW	Beihefte zur Zeitschrift für die alttestamentliche Wissenschaft
Diss. Theol.	Theologische Dissertation
EvTh	Evangelische Theologie
FRLANT	Forschungen zur Religion und Literatur des Alten und Neuen Testaments
HAL	Hebräisches und Aramäisches Lexikon zum Alten Testament, Hg. W. Baumgartner
HAT	Handbuch zum Alten Testament, Hg. O. Eißfeldt
Hg.	Herausgeber
Hhld	Hoheslied
IEJ	Israel Exploration Journal
JAOS	The Journal of the American Oriental Society
JBL	Journal of Biblical Literature and Exegesis
KBL	Lexicon in Veteris Testamenti Libros, Hg. L. Köhler – W. Baumgartner
Kl. Schr.	Kleine Schriften
LXX	Septuaginta (griechische Übersetzung des AT)
MT	Masoretischer Text
PJB	Palästinajahrbuch
SAT	Die Schriften des Alten Testaments, übersetzt und erklärt von H. Gunkel u. a.
spez.	speziell
StudTheol	Studia Theologica
s. v.	sub voce (unter dem Stichwort)
t. e.	textus emendatus (verbesserter Text)
ThSt	Theologische Studien
ThWNT	Theologisches Wörterbuch zum Neuen Testament
UF	Ugarit-Forschungen
VT	Vetus Testamentum